ことばという戦慄

言語隠喩論の詩的フィールドワーク

野沢 啓
Nozawa Kei

未來社

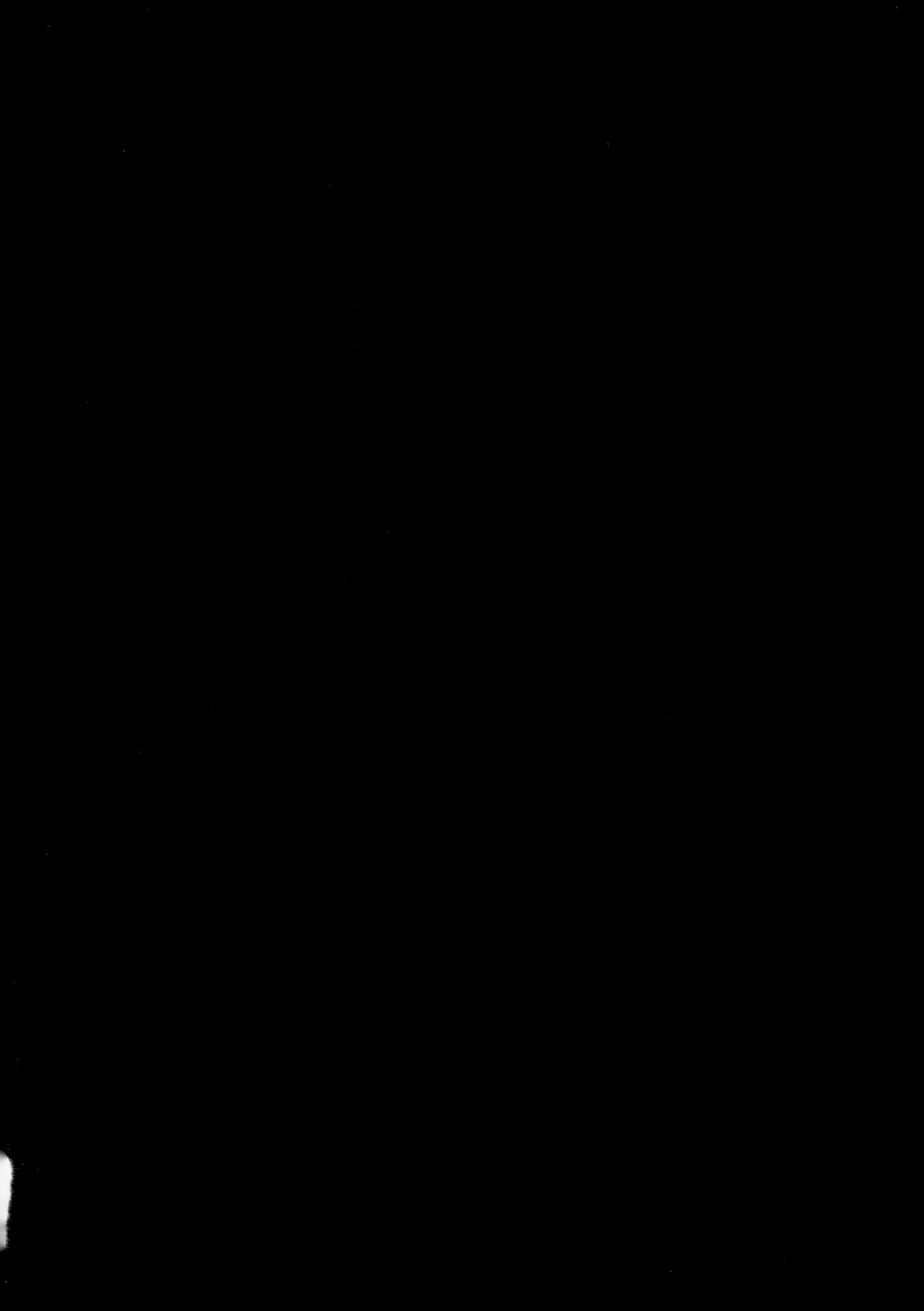

ことばという戦慄——言語隠喩論の詩的フィールドワーク★目次

III　亡命と抵抗

装幀——中島浩

ことばという戦慄

——言語隠喩論の詩的フィールドワーク

［凡例］

・書名、雑誌名は『　』で、本文中の引用文は《　》で、キーワードと詩の引用は〈　〉で示した。
・主要な引用文は前後一行あけ、二字下げでわかりやすく掲示したが、文中に組み入れた場合もある。
・引用文にかんし日本語著作からのものは原文を尊重しているが、翻訳文献にかんしてはそのかぎりでなく、表記は原則的に変更させてもらっていることが多いことをお断りしておく。
・引用のなかの強調は断りのないかぎりすべて原文通りである。
・引用のページ数表示にかんしては、日本語著作の場合は「頁」を、邦訳の場合は「ページ」を使っているが、混用しているわけではなく、たんに著者の好みであるにすぎないので、ご寛恕いただきたい。

序　論——『単独者鮎川信夫』から言語隠喩論の探究へ

『単独者鮎川信夫』と同時刊行の詩集『発熱装置』（ともに思潮社、二〇一九年）を出したあと、すぐ追いかけるように連載してまとめたのが『言語隠喩論』（未來社、二〇二一年）である。そしてこの連載の終りごろから今度はこの言語隠喩論の原理論的考察をもとにしていくつかの場所で書き継いだ「言語隠喩論のフィールドワーク」という詩人論九篇と、『言語隠喩論』以後の言語論的考察三篇をあわせて一冊の書物として世に問おうとするのが本書である。これとは別に『季刊 未来』誌で連載中の「詩的原理論の再構築——萩原朔太郎と吉本隆明の所論を超えて」は、『言語隠喩論』で予告したとおり、萩原朔太郎『詩の原理』と吉本隆明『言語にとって美とはなにか』という、近現代詩の世界で詩的言語についての原理的考察をめぐらした二冊の書物をめぐって言語隠喩論的に考察をくわえ、それらを乗り超えていくべく鋭意執筆中であるが、本書はそうした原理的考察のさらなる前進と並行して書かれ、それぞれの詩人のこれだけは論じてみたいという作品にたいする言語隠喩論的批評の実践である。したがって、今回の詩人論九篇はとりあえずのサンプルとして提出されるものであって、詩史論的にとくに計画したものではない。ただ今後も論じてみたい詩人は何人もいるのでそれらの論によっていくらかは空白も埋められていくだろうが、それはあくまでもわたしの言語隠喩論的関心が感受するかぎりのことであり、詩史的な野心はいまのところない。

本論は三部構成をとっている。

その「I　言語隠喩論の新展開」には『言語隠喩論』以後に書かれた講演をふくむ言語隠喩論の原理的考察をめぐる論考三篇を収録する。

そのうち「意識を超えて詩を書くこと」は二〇二三年二月十一日に、日本詩人クラブの初めての地方例会が大阪で開催されることになったさいに招待されておこなった講演であり、現在のわたしの課題である「詩的原理論の再構築――萩原朔太郎と吉本隆明の所論を超えて」をベースに、詩を書くことの意味をあらためて考えたものである。

また「権利請求と応答責任――言語隠喩論の進展のために」は『季刊　未来』で発表したものに、関連する論考を『イリプス IIIrd』などから追加したものである。

つぎに「II　近現代詩史のなかの詩人たち」には当面書いておきたかった詩人論をほぼ詩人の生年順に六篇収録する。近代詩、現代詩それぞれ三篇ずつとなっているのはたまたまである。こうした個別詩人論、というより個別作品論は今後も継続的に書いていきたいと思っている。

最後の「III　亡命と抵抗」に並べた三篇は、例外的に外国詩人としてとりあげたパウル・ツェランもふくめて、その生が当人の意思とは無関係に歴史や状況がつきつける不可避的な困難や苛酷な運命から必然的に亡命、逃亡、流謫、反抗などを強いられた詩人たちについての論考で、その実存的存在と詩の関係の避けがたい問題への問いに発している。これら三篇はいずれも長いうえに連続的に書かれたもので相互関連性があり、IIの単発的に書かれた詩人論とは別にひとくくりとして読んでほしいものである。そしてそこには関連してある種の歴史性、政治性の問題も露出することになった。

わたしはここで原理的考察として書かれた『言語隠喩論』を実際の詩の現場でどういうふうに活用できるかを試してみた。それがそれぞれ初出の時点で「言語隠喩論のフィールドワーク」とサブタイトルを付けた理由である。

そこに共通するものはそれぞれの詩人の作品に見られる、その作品を詩たらしめるもっとも根源的なことば、それがなければ詩が成立しないだろうキーワードを発見し、そこからそのことばの創造的隠喩性がひとつの創造世界を立ち上げてゆく導線をたどってみることである。そのことばこそが詩人を詩人として成り立たせる。詩人の生涯から詩が演繹的に解釈されるのではなく、詩のテクストが必然的に発生することばの運動のなかに詩人の存在根拠を帰納的に見出すこと。——こうした読解の試みは作品を追体験しようとすることでもあり、それをつうじて詩人を内在的に解読することであるが、はたしてこの方法がどこまで成功しているかは自分では判断できない。

わたしが『単独者鮎川信夫』から『言語隠喩論』にいたる道筋について、すこしまえに日本詩人クラブの会報誌『詩界』二六九号（二〇二二年四月）に書いた文章「『単独者鮎川信夫』から言語隠喩論の探究へ」がある。これは『単独者鮎川信夫』が同クラブの詩界賞（二〇二〇年）を受賞したことに関連して執筆したものであり、いまにつながる思いを書いたものなので、いくらか重複するところもあるが、以下にそれをほとんどそのまま転載しておきたい。

＊

もう二年にもなるのですっかり印象が薄れてしまった感があるが、わたしが多忙のためしばらく離れていた現代詩への復帰の証しとして書いた『単独者鮎川信夫』（思潮社、二〇一九年）が第二〇回日本詩人クラブ詩界賞を受賞することができたのは意外なことだった。というのはわたしはこれまで日本詩人クラブとはほとんどかかわりをもたなかったし、そもそも詩人とはあまり接触したくないほうの人間だからでもある。賞とはいまの現代詩の世界においてはほとんど仲間内の情実にからんだ評価が中心になっている。わたしも何度か各種の選考委員を指名されたことがあるからわかることだが、多くの委員は客観性を欠き、そもそも選考委員の資格さえ疑われるようなレヴェルのひとが多いから、そうした賞はほんとうは権威をもたないものになりがちである。賞の価値は何が受賞したかによってこそ決定されるのであって、逆に言えば、受賞作は誰が選考したのかによって真の価値が決まるのである。『単独者』が小野十三郎賞の次点に終わり、評者のひとりがこの作品は「やや平板か」と書いたことには唖然とし、憤りさえ覚えたものだ。これを平板と言うなら鮎川信夫論で平板でない評論がこれまであるのか、そもそもこの評者はそういうものをちゃんと読んでいるのかという疑問が生じた。詩論にたいする評価というものはむずかしい。書かれている対象もふくめて幅広い知識と感受性の働きがなければ選考などおぼつかない。そういう意味では日本詩人クラブ詩界賞にもその懸念があったが、さいわい受賞するまでにいたったのは望外の幸運だったといまでも思う。そこには面識がなくても情実や政略ではなく作品そのものを評価できるひとがいたからである。

そこからほぼ二年をかけてこのたび上梓したのが『言語隠喩論』(未來社、二〇二二年)である。これには現代詩の停滞にたいする詩を書く者としての危機感が根底にあるのは言うまでもない。現代詩がいま混迷をきわめているのは、ことばの本質をよく知らず、一方的な思い込みでことばを制御することもできずに、それがなにか新しい手法であるかのようにことばが乱発されている現状にたいして批評が機能できていないからである。批評自体が弱体化し、感想の垂れ流しのような感想文が詩的メディアに掲載されるばかりで、原理的考察もなければ、そうした方向への志向もない。こうした危機感にたいしては、ひたすらことばを根底から考えなおしていくしかない。

詩は何でできているのか。言うまでもなく、ことばである。では、そのことばとは何なのか。それはふつうに使われていることばとどうちがうのか。

詩人がこれは詩だと思ってことばを書けば、おのずからそれが詩になるのか。詩のことばが日常言語と通じている以上、ふつうのことばを詩のことばに転換させるにはどうすればいいか。

詩の言語とは何なのか。そもそもことばとはどういうものか。

ことばについての言及、研究は古今東西いろいろあり、詩人や文学者というよりも哲学者、精神分析学者、言語学者などのもののほうがより多くより深く参照しやすい。わたしが『言語隠喩論』で参照した文献は多岐にわたるが、その多くが西欧哲学者のものであるのは、日本にはそうした言語についての探究の成果がいまだ十分でないからである。ヨーロッパの哲学者のものはことばをめぐる考察を基本軸としており、おのずから詩についての言及も多い。そうした文献の探査から得られたことは、ことばの発生がどういうかたちで起こったかをめぐる考察をつうじてことばは最初は隠喩（メタファー）として生まれたという事実である。このあたりは『言語隠喩論』の序章「隠喩の発生」でくわしく書いたから省略するが、なにしろヨハネ福音書の冒頭は《はじめにことば（ロゴス）ありき》で始まるのであって、そこは西欧キリスト教世界という成り立ちとも無関係ではない。ことばがなければなにごとも成り立ちえないのがヨーロッパ世界なのであって、哲学者とはなによりもまずことばを考えることを選んだひとたちなのである。そこが日本の哲学研究者との根本的なちがいなのだ。

ことばが発生するとき、それはまず眼前の世界のさまざまな現象や事柄への命名にほかならない。しかしそれはおよそ漠然としたものであるしかなく、なにかを指示し、伝えるような機能はまだもちあわせていない。そこには驚きや発見や感情だけがあるのであって、ひととひとがなにごとかを伝えあおうとしても未知の何かをぼんやりと暗示するぐらいしかできない。それは始原的な隠喩としての機能しかなかったからである。そこで人間はコミュニケーションの必要からことばを特定の意味として定着させていくなかで日常言語というものを発展させてきた。だからひとがことばを使うのはそうした日常言語のレヴェルで通用するようになった意味にもとづいて伝達をおこなうようになり、それがふつうのことのように思い込まれてしまったのである。最初は生きた隠喩(ポール・リクール)であったことばが、貨幣のように使い古されて死んだ隠喩となり辞書にも登録されるようになったことばとして流通するようになる。なかにはこうした日常言語しか評価せず、詩のことばを逸脱、奇形として排斥するジョン・L・オースティンのような言語学者なども現われる始末となる。

しかし詩人はそういうすり切れたことばを使おうとしない種族の人間である。ことばにたいして原初的なかたちでつねに新鮮な驚きとともにかかわろうとし、そうしたことばを活用して未知の世界を構築しようとする人間なのである。したがって詩人の使うことばは一見ふつうのことばのように見えても、そのことばは原始人が初めて発したときのように驚きとともに未知の世界へ向けたセンサーとなって解き放たれるのである。そのことばが何を意味するかを詩人はそのとき正確に知っている必要もないし、そうすることもできないのが詩という未知の世界なのであり、詩人はそうした世界の住人なのである。

　言い換えれば、詩のことばはあらかじめ意味が見出されているような世界をなぞるのではなく、ことばのもつ原初的＝創造的な隠喩性に依拠して、詩人みずからにさえ事前に想定することもできなかったような未知の世界への創造的飛躍を実現しようとする営みなのである。こうした事態をマルティン・ハイデガーはよく理解していて、こんなふうに了解している。

> ことばそれ自体が本質的な意味で詩作なのである。ところで、いまやことばはそれのうちで人間にとってそのたびごとにはじめて存在するものが存在するものとして開示されるような生起であるのだから、詩、つまり狭い意味での詩作は、本質的な意味でもっとも根源的な詩作である。★1

いかにもハイデガーらしいことばであり、ことばの存在が人間においてそのつど〈生起〉する事件であることを示している。ハイデガーは引用のすこしまえで芸術の本質を《真理がそれ自体を－作品の－内へと－据えること》（同前一一八ページ）とも定義していて、詩のことばもまた〈真理〉との関係のうちに位置づけられている。

　わたしの『言語隠喩論』はこうしたことばの根源的隠喩性というものが詩においてより根源的

に機能するということを明らかにしようとした著作であって、こうした言語の本質を理解し、それを詩の世界に投影したものであると言っていい。だからこれは言語論であると同時に詩的言語論であり、おそらくこうした視点と詩を書く人間という立場から、詩の創作の問題に切り込んだ著作としてはこれまで誰も試みようとしたことのない方面の仕事だと思っている。すくなくとも停滞する現代詩の世界にとっては絶対に必要な論点の提出なのである。この著作に取り込まれた連載のそれぞれの時点でも詩人たちのさまざまな反応が多くあったことも理由のないことではないのであって、この本にたいしてははやくもきわめて多くの書評や論評・言及があり（確認できただけでも、この文章を書いている二〇二一年十二月十二日現在、書評十七本、月評での論述四本、など二四本、なんと単行本一冊、ほかにアンケート回答では二〇人を数える）、そのいくつかには反論や批判的な、対応する文章も書いた。[★2] これらは言語隠喩論のさらなる発展のためにも必要な探究の再構築だと考えている。そういうなかのひとつに『図書新聞』二〇二一年十二月十八日号の「下半期読書アンケート」で郷原宏が書いてくれたことには未回答なので、ここで簡単にふれておきたい。郷原は《隠喩は詩的表現の手段や方法ではなく、言語の発生と起源を同じく

★1　『芸術作品の根源〔起源〕』関口浩訳、平凡社ライブラリー、二〇〇八年、一二二ページ。一部、表記を変えているところがある。
★2　『季刊　未来』二〇二二年冬号の拙稿「権利請求と応答責任——言語隠喩論の進展のために」。本書に収録。

する詩の本質に他ならぬとする持論を、古今東西の言語論や言語思想を参照しながら仔細に論証する。メタファーはそのままポエジーたりうるかという点になお考察の余地がありそうにも感じられるが、本書が吉本隆明『言語にとって美とはなにか』以来の理論的達成であることだけは間違いない》と的確かつ適切に評価しつつ、わたしの隠喩論の未踏と思われた部分を指摘している。わたしとしてはことばの本質的隠喩性にもとづいた未知の世界の構築ということ自体がすでにひとつの事件であって、そこにこそ〈ポエジー〉が発生していると言いたいところなのだが、どうもそれだけでは不十分だったのかもしれない。しかし、それにたいしてはさきほど引いたハイデガーの論文の解説にあたる文章でハンス゠ゲオルク・ガダマーが書いていることが、まさにこれ以上なくわたしの代弁をしてくれているので、以下に引いておこう。

誰もが直視せざるをえないのは、なんらかの世界がそこで立ち現われるような芸術作品の内では、それ以前に認識されなかった意味深いものが経験できるようになるだけでなく、芸術作品そのものとともになにか新たなものが現に存在するようになる、ということである。このことはひとつの真理の暴露ということに尽きるのではなく、むしろそれはひとつの出来事でさえある。★3

ここでは〈芸術作品〉を〈詩〉と読み替えてもらえばよい。わたしとしてはここでガダマーが言うように、詩のことばが達成した未知の世界の構築という〈ひとつの出来事〉こそが〈ポエジー〉たりうるという視点を堅持していくつもりであるのだが、そしてそのことは『言語隠喩論』のなかではくどいほど論じてきているわけなので、詩におけるメタファーが、――それが未知の世界たる一篇の詩を構築しているというかぎりで、――《そのままポエジーたりうる》と思っているのである。そのポエジーのポエジーたるゆえんはこうした理論的論述においてよりも近現代詩のさまざまな具体的な詩作品にたいして、この理論的達成にもとづいて〈フィールドワーク〉と称した検討を始めたところであり、こうした〈フィールドワーク〉がさらなる理論的展開をもたらしてくれるだろうことを念じているわけである。

＊

ここに収録する論考は、巻末の初出一覧にあるように、ほとんどがこの二年ほどのあいだに書かれたものであり、再録するにあたって加筆と修正は最小限にとどめた。基本的な論点を変える必要はほとんどなかったからであるが、その後に書いたもので追加したものが未発表の一篇あるだけである。

これらの論考は、なによりも〈ことば〉という現実＝現象が人間の意識を超えてまず存在し、

★3　ガダマー「導入のために」、前掲『芸術作品の根源〔起源〕』一六九―一七〇ページ。

ことばの機能的な側面よりもそれ自体が発する創造的な世界開示力に魅せられたデミウルゴスたる言語的創造者が切り開こうとする言語世界を、もっぱら言語の創造的隠喩性の観点から再検討しようとするものである。この創造者たちのうちでもっとも突出して言語そのものの力に接近しようとするのが詩人であるとすれば、それはことばの本質にもっとも親近し、そこにみずからの存在を超える可能性を信じようとするのが詩人だからである。それは端的にことばへの愛と呼んでもいいのではないか。ことばへの愛のないところにほんとうの詩は生まれようがないのである。臆面もなく言えば、わたしの論考はすべてこの立場から書かれたものである。〈ことばという戦慄〉と名づけたものはこの愛と一体のものである。

この本が『言語隠喩論』同様、ことばに関心のあるひとたちに広く読まれ、理解されることを著者としては望むばかりである。

I

言語隠喩論の新展開

意識を超えて詩を書くこと——日本詩人クラブ大阪例会講演

1　詩を書くこと、その条件とは

ひとはなぜ詩のようなものを書こうとするのでしょうか。

最初はなんだかよくわからないが書いてみたいと思うものを見よう見まねで書いてみます。教科書などに掲載されている詩に刺戟を受けてノートに書きつけてみるというようなこともあるでしょう。たまたま手にした詩集に影響されることもあるでしょう。ひとは最初から詩人であるわけではありませんから、表現のスタイルもまだ確立していないでしょうし、そのことばも思いを十分に表現しうるような幅もレヴェルもてないでしょう。それはまだ模倣の域を出るものではないですが、この段階ではみずからを表現してみようと試みることがまずは大事になります。

それで飽き足らなくなりますと、ひとの書かないようなものを書いてみようとするわけです。しかし、それは容易なことではありません。なにかオリジナルなものを書いたつもりでも、冷静になって読み返してみれば、あるいは他人の感想などを聞く機会があれば、それがやはり誰かの模倣か、なにか既存の思想や観念の言い換えにすぎないことを見出すことになるのもよくあることです。多くのひとはみずからの才能の限界に気づいてここらで挫折します。

それでもどうしても詩を書きたいと思うひとがいます。ここにいらっしゃるひとたちもそうでしょうが、現代詩を書いているひとはおおむねこういうひとたちです。

自分の書こうとする詩がどうも望んでいる作品のレヴェルに達していない、とくになにか新しい視点を打ち出せているとも思えないというディレンマをかかえているひとが多いでしょう。そのことに気づいてさえいないひとにいたってはそもそも詩を書く理由があるとは思えません。

それではどうするか。簡単に言えば、ことばについてより詳しく知ろうとし学ぶことです。これには三つの次元があると思います。

具体的にはまず、よく言われることですが、同時代の優れた詩人の詩をできるだけ多く読むことです。それもさまざまなタイプの詩人のものを先入観をもたずに読んでみることです。自分の好みに合いそうなものだけ読んでもだめです。そしてつぎには日本の近代詩についてもできるだけ読むように心がけることです。そしてこれらの詩について自分なりの理解の勘所を見つけていくことだと思います。

第二には、同じようにして、同時代の詩論や近代詩人の詩論をできるだけ多く読み、また多くの詩人論を読んで自分の解釈や理解をさらに深めていくことです。これについては、あとですこしくわしくお話しします。

そして第三には、詩や詩論以外にも、ことばについて論じているような書物をひろく読んでみること。哲学、言語学、精神分析などの分野でそれぞれの観点からことばについていろいろ論じられています。これらを気になるところから順次読んでいくこと。関心のわくところを連続的に読んでみること。少々わからないところがあってもかまわず読んでみることです。そこには思いがけないヒントとなるようなことがたくさん見つかります。それらは自分のことばを狭い私見から引き出すために役に立つはずです。できれば翻訳でもいいから日本人以外の外国文献にまで広げてほしい。

以上の三つの次元は詩人がよりよい詩を書けるようになるための最低限の努力目標です。できればこれに四つめの次元として、詩やことばにかんするもの以外のさまざまな知見にもアプローチしてもらえば、なおいいでしょう。ことばについての深い理解とともに世界や歴史についてのさまざまな知識や教養は、詩を書くうえでけっしてむだではないからです。詩においてむだな知識というものはありません。

ある有力なグループでヴェテランの詩人が批評も書いている若い女性詩人にたいして、そのひとが批評を書くことを批判して、「詩を書くのに批評はいらない」と言ったそうです。このひとは批評的な知識や技術が詩を書くうえで必要でないばかりかじゃまになると思い込んでいるらしい。まったく取るに足らない意見であるばかりか反動的な考えであるとしか言いようがありません。また女性が批評を書くことにも批判的だとしたら、このひとは二重に誤っています。詩を批評するとは自分が書く詩にたいしても批評的になるということであって、自己批評のできない詩人がロクな詩を書けるわけがない。ことばについての浅い理解でしか詩を書けないのなら、その詩人はいつまでも浅い無内容な詩を反復して消え去るだけでしょう。

わたしが最初に挙げた最小限三つの次元においてみずからの知を磨く努力をしない詩人は結局のところ、無内容な詩しか書けない、無知なうえに反動的なこの詩人となんら変わるところはない。詩を書くことはそんなに容易なことではないからです。

そこであらためて詩を書くこととは何か、と考えてみましょう。ひとがまだ誰も書いたことのないような詩とは、なにか特別に長いものであるとか、特別な観念をもったものというのではない。重大なテーマばかりが詩のテーマなのではない。むしろ日常にふと見出されるような嘱目の風景にかんするものだって十分に可能なのです。

それではそれはほかの詩とどうちがうのか。つまりその詩のことばが既成の観念をそのまま持ち出したり言い換えたりするのではなく、またある感情をありきたりのことばで安上がりに表現してしまうのではなく、みずからの知や体験をつうじてこのことばでなければ、あるいはこのことばの組合せでなければ言い尽くせないと思えることばを発見することです。ことばにはすでに多様な意味や表情がへばりついています。そうしたことばでもかならずやまだ開拓されていない新たな可能性（創造性）が存在するのです。ことばの可能性は無限であり、その未開拓の可能性を見出すことが詩を書くことのほんとうの意味なのです。

なにも奇をてらった言い回しをする必要などありません。また学習などしなくてもいい詩が書けるのではないか、という意見もありましょうが、それは天才でもなければ一回かぎりのもので、継続性は見込めないでしょう。

2　詩を書くことは新しい世界を見出すことである

ここで一気に飛躍します。

詩を書くことはこれまで誰も書いたことがないことばの世界をつくりだすことである、すくなくともそのように心がけることであると前提しましょう。たとえば日本的美意識の典型とされる「花鳥風月」のようなものを描けば詩になるというのは大間違いです。そんなものはいまの短歌の世界でさえも容認されません。ましてや現代詩の世界というのは形式や規範というものからの自由を選択したはずの世界です。ことばのありかたは社会通念からも自由でなければならない。しかしこの自由とは、いまの現代詩の多くがそうであるように、ことばの歴史にもその言語的可能性にも無知なままでのたんなる放埒さ、無原則ともちがうものでなければならないのです。ことばを自由に使用できるということは、ことばのもつ本質性、可能性を深く認識し、それが可能にする創造性を実現する努力でなければなりません。《自由とは必然性の洞察（認識）である》というエンゲルスの『反デューリング論』のなかの有名なことばがありますが、詩を書くことはことばによって新しい世界を見出し、あるいは創造的に建築することであると思います。

萩原朔太郎は詩の世界ではじめて詩的言語の原理的考察を試みた詩人です。『詩の原理』の「序」のなかで朔太郎は《(自分の知つてゐる限りかうした書物は外國にも無いやうだ。)》とわざわざカッコに入れながら自分の仕事への自負を謙虚に語っています。[★1] たしかにその通りで、わたしに言わせれば、詩のことばについて原理的に考察しようとして『言語隠喩論』（未來社、二〇二一年）を書こうとしたとき、そうした原理的な考察を試みたものとしては萩原朔太郎の『詩の原理』（一九二八年）と吉本隆明の『言語にとって美とはなにか』（一九六五年）ぐらいしかありませんでした。あえて言わせてもらえば、わたしの『言語隠喩論』はそれらにつづき、それらを乗りこえようとするものです。この本を起点として、朔太郎と吉本の原理論にたいする批判的論考をいま書きつづけているところなので、ここではそんなにくわしくは触れませんが、さきほど現代詩を書いているひとが新しい世界としての詩を書こうとするならば、どうしてもその準備として三つの次元が必要だろうとわたしが言ったその第二の次元というのが、古今東西の詩論や詩人論をできるだけ読んでみるべきだということでした。しかし、そういうなかでいままでもほんとうに読ま

★1 『萩原朔太郎全集第六巻』筑摩書房、一九七五年、八頁。

れるべきものは少ない。たとえば萩原朔太郎は『詩の原理』の「概論　詩とは何ぞや」で詩の内容論について言及しています。《(内容論は)一般に甚だしく獨斷的で、單に個人的な立場に於ける、個人的な詩を主張してゐるにすぎない》(同前一四頁)として〈靈魂の窓〉〈天啓の聲〉〈自然の默契〉〈記憶への郷愁〉〈生命の躍動〉〈鬱屈からの解放〉などといった抽象的で無意味な主張の例を挙げています。

これは『詩の原理』が書かれた当時の近代日本がようやく明治の黎明期をくぐりぬけた時点で、蒲原有明や薄田泣菫といった日本的象徴詩派の達成によって獲得された詩的言語の理解の水準がどのようなものだったかを示しています。朔太郎は日本近代詩の実質的創始者とみなされていますが、それはその言語創出がそれまでの五七調、七五調の日本語的韻律を脱却する言語的力量をもっていたことによります。そうした試みが自身の『詩の原理』の原理的考察に負っていたからだと思います。『詩の原理』はきわめて問題の多い書物ですが、それでもかれ自身の詩的言語の解放にはおおいに力があったのでしょう。下手すると自分勝手な思い込みになりかねない確信にすぎなくても、詩をことばの問題としてとらえ、それを新しい時代へむけて原理的な考察を展開することで、同時にみずからの創出する詩的言語にとって大きな駆動力となったはずだからです。

わたしの言語隠喩論が提唱しようとしているのは、詩を書くことが自然発生的なことばのロマン主義的な一回かぎりの放出ではなく、また、ことばの破壊的な偶然性に依拠して無原則に書きすすめるだけのモダニズム的書法でもなく、日本語なら日本語という言語の特性を深く検討した原理的な言語の創造性を、詩を書くうえでの強力な武器にしようというものです。くわしくは本を読んでもらうしかありませんが、その最大の論点は、言語の本質は隠喩（暗喩、メタファー、メタフォール）である、ということです。

言語は、その発生の時点から考えてもわかりますが、最初からなにか得体のしれない事実や現象にたいして、恐怖によるものか驚きによるものかはともかく、自然に音声を発するところに成立したはずなのです。原始人がはじめて雷に遭遇したときになんらかの発声をしてその恐怖か驚きかを表現しただろうという想定（ヴィーコ）、海をはじめて見た人間が「う…」という声を発したかもしれないという想像（吉本隆明）は、それらが特定の「意味」をもつのではなく、なんらかの感動を示唆する隠喩的な発見であったということです。★2

西郷信綱という国文学者に《詩人の精神には原始人が棲む》ということばがあります。このことばはけっして過去の問題なのではなく、ことばの問題にじかに接しようとする詩人においては現在でもつねに維持されていなければならない原始的＝根源的な感覚なのではないでしょうか。ことばの二次的使用、つまり散文に依拠するのが日常言語の世界であり、小説や文芸評論のような詩に比較的ちかい領域の言語使用においてさえこうした原始的な言語感覚は希薄でしょう。日常言語学派として著名なジョン・L・オースティンのような言語学者はこんなことを言っていま

★2　このあたりは『言語隠喩論』の「序章　隠喩の発生」参照。

す。詩の言語は《まじめにではなく、しかし正常の用法に寄生する仕方で使用されている。この種の仕方は言語褪化の理論というべきものの範囲のなかで扱われるべき種類のものであろう。[★3]》こういったレヴェルの言語学者による詩的言語の理解とは本来の言語理解からすればそれ自体が倒錯したものです。散文とはそもそも言語の二次的レヴェルにあるものであり、ましてや日常的に使われる言語などはその言語使用のレヴェルにおいては書かれた言語一般にくらべてもさらに頽落した言語であるのに、というわけです。

こうした詩の言語への無理解は、萩原朔太郎も『詩の原理』のなかで、当時の自然主義文学派がみずからの言語をあたかも文学の王道であるかのごとく文壇を席捲していた状況にたいするルサンチマンを爆発させているように、古くから詩の言語の本来的一次性よりも後発の散文的言語の二次性が高く評価されるというおよそ非本質的で本末転倒した意識がいまでも一般化しています。しかしこのことは詩的言語の古さを証明するのではなく、言語を〈死んだ隠喩〉（ポール・リクール）としての二次的な言語としてではなく、本来の創造的隠喩性（生きた隠喩）としてことばに原始的に立ち向かう詩人の仕事が、通常のわかりやすいことばに馴らされてしまっている多くのひとたちの理解が及びにくいというだけの話にすぎません。〈時は金なり〉というような死んだ隠喩はもはやなんの創造性もなくなったことばにすぎませんが、もとはと言えば、すべてのことばははじめは隠喩として成立したものなのです。散文家はこうした既成のことばを道具として使用するだけですが、詩人はことばの意味をそのつど発明するのです。詩人は隠喩としてのことばを発明するのであって、隠喩を「使用」するのではけっしてない。この根本を理解しない詩人がいまでも多いのは情けないことです。詩を書くということは、なにか既成の観念やものごとをたんに言い換えてみせるといった技法として隠喩を「使用」したり「利用」するものではなく、ことばを発することが、はじめてそうした観念を示し、名づけること、すなわち発見することでなければならないのです。——以上がわたしの『言語隠喩論』がていねいに繰り返して記述したことです。同じことを何度も書いていると言われることがありますが、隠喩を既成観念でしか理解できないひとが多いので、いちどではきちんとわかってもらえないだろうからです。ソクラテスではないが、《よいことは二度でも三度でも話すのがよい》[★4]からです。

3　意識を超えて詩を書くこと

萩原朔太郎の『詩の原理』は、明治時代末期に定型詩からの脱却をめざした日本象徴詩派の蒲原有明、薄田泣菫、さらに三木露風など、あるいは社会主義詩派、民衆詩派といった当時の同時代詩のさまざまな動きのなかで《何人にも承認され得る、普遍共通の詩の原理》[★5]を画定しようと

★3　『言語と行為』坂本百大訳、大修館書店、一九七八年、三七—三八ページ。
★4　プラトン『ゴルギアス』加来彰俊訳、岩波文庫、一九六七年、一六七ページ。

する試みでありました。そうした立場をとる以上、みずからの立場や志向を超えてできるだけ客観的な観察と問題点の整理をおこなおうとしました。たとえば、内容論の「第三章　浪漫主義と現實主義」では浪漫主義＝主観主義、現実主義＝客観主義とほとんど等置されています。朔太郎は言っています。

> 要するに客観主義は、この現實する世界に於て、すべての「現存（ザイン）するもの」を認め、そこに生活の意義と滿足とを見出さうとするところの、レアリスチックな現實的人生観に立脚してゐる。客観主義の哲學は、それ自ら現實主義（レアリズム）に外ならない。此れに反して主観主義は、現實する世界に不滿し、すべての「現存（ザイン）しないもの」を欲情する。彼等は現實の彼岸に於て、絶えず生活の掲げる夢を求め、夢を追ひかけることに熱情してゐる。故に主観主義の人生観は、それ自ら浪漫主義（ロマンチシズム）に外ならない。（同前三一頁）

しかし朔太郎は実際は浪漫主義＝主観主義の立場に立つ詩人です。後段の内容論の「第一三章　詩人と藝術家」になると、そうしたみずからの本来の志向が現実主義＝客観主義を斥けて主張されます。

> 詩人とは何だらうか？　言ふ迄もなく詩人とは詩的精神を高調してゐる人物である。では詩

的精神とは何だらうか？……即ち主観主義的なる、すべての精神を指すのである。ゆえに「詩人」の定義は、一言にして言へば「主観主義者」である。詳しく言へば、詩人とはイデアリストで、生活の幻想を追ひ、不断に夢を持つところの人間夢想家(ヒューマンドリーマア)。常に感じ易く、情熱的なる人間浪漫家(ヒューマンロマンチスト)を指すのである。（同前八三頁）

こうして朔太郎はみずからプラトン的なイデアリスト、すなわちあるべき理想としてのイデアを追い求めるタイプの詩人であろうとします。「非所有へのあこがれ」（同前六一頁）が朔太郎にとっての詩人の究極の姿勢となります。朔太郎は、ことばの先にこうしたイデアの存在を信じようとするという意味では、ことばの可能性にこの姿勢を託そうとする詩人であることがわかります。朔太郎の詩の原理論が問題だらけだとしても、かれはその原理論のなかに言語の創造的隠喩性をおぼろげながらも察知していたのではないでしょうか。それはかれの詩作品に十分に反映されています。朔太郎の詩はみずからの理論を超えてことばの自立性を実現しているのです。

萩原朔太郎は『詩の原理』を刊行してから五年後の一九三三年に『朝日新聞』に「詩人の本分」という短い評論を書きます。――《詩人があつて、言葉が出來てくるのではない。言葉があつて、詩人が生れてくるのである。換言すれば、言語が詩を決定するのである。》（同前四五六頁）

★5　『詩の原理』「概論」、『萩原朔太郎全集第六巻』一四頁。

という決定的なことばがあります。これはいまでも詩人が留意しておくべき金言と言っていいでしょう。『詩の原理』のあとにほんとうの詩の原理を見出したことになり、とても皮肉なことですが、このあたりに朔太郎という詩人のアクチュアリティがあると思わざるをえません。

東京から出かけるまえにちょうど届いた藤井貞和さんの『日本近代詩語』[★6]という本があります。さきほどこの会が始まるまえにレストランで読んでいたのですが、こんなフレーズがありました。――《朔太郎が書いた『詩の原理』のような作品、というか詩論、詩学、これが現代でももうすこし生まれてほしいという思いがあります。……だれかこの続編、『続詩の原理』を書けばよいのにと思いますが……》（二三頁）と藤井さんは言います。たしかにその通りで、どこまでできるかわかりませんが、わたしがやろうとしているのもそういう問題だと自覚しています。

さて、それにくらべると吉本隆明のほうはどうでしょうか。これはすでに『イリプス IIIrd』2号の「言語隠喩論のたたかい――時評的に2」で書いたことですが、吉本は『言語にとって美とはなにか』で《言語の表出としての文学を、人間の意識の歴史的な厚みに還元できるとすれば、》[★7]といきなり自明のように書きだしています。また吉本は「ラムボオ若くはカール・マルクスの方法に就ての諸註」という初期論考のなかで《詩作過程を意識とそれの表象としての言語との相関の場として考へれば、詩作行為は意識が言語を限定する心的状態にはじまり逆に言語が意識を限定する心的状態に終る》[★8]と書いています。これは逆です。吉本の得意のことばで言えば、逆立させなければなりません。〈意識の表象としての言語〉ではなく、〈言語の表象としての意識〉というふうに逆転されなければならないわけです。（『言語隠喩論』第七章「詩という次元」参照）『言語にとって美とはなにか』にみられる吉本の原理論はかならずしも詩の言語についてだけ展開されたものではなく、日本の古代から現代にいたる文学言語のなかの〈美〉の問題を問おうとしているのですから、〈表出〉論ではあっても言語そのものの理論ではないし、詩の言語がもつ原理を問おうとした書物でもありません。しかし、そこで詩の言語についてはは吉本的意識主義は一面的であり、とりわけわたしの言語隠喩論が主張するような、言語それ自体がもつ創造的開示性すなわち隠喩的発見がもたらす世界の発見的提示の可能性のようなものは最初から除外されてしまい、既成の世界像の再提示、詩的形式による言い換え以上のものは獲得できないことになります。

吉本隆明が『言語にとって美とはなにか』で依拠していると思われるヘーゲルは『精神現象学』のなかで意識についてこんなふうに書いています。

精神の日常的なありかたである意識は、知という極と、知の対極をなす対象という極の二つからなっている。精神が意識の場で発展し、さまざまな形を提示していくとすれば、それぞれの形には知とその対象との対立がつきまとい、すべての形が意識の形態をとってあらわれ

★6 文化科学高等研究院出版局、二〇二三年。
★7 『定本 言語にとって美とはなにかII』角川文庫、二〇〇一年、二五四頁。
★8 『吉本隆明全著作集5』勁草書房、一九七〇年、二〇頁。

る。……意識は経験のうちに入ってくるものしか知らないし、それしか概念的にとらえない。★9

つまり、すくなくとも文学とりわけ詩においては意識が先行するかぎり、その言語は経験的に理解されたものしかとらえることはできないし、したがって意識は言語が新しい経験として生み出すなにかあらたな世界を見出すことはできないことになります。意識がつねに先行しますから、詩のことばはそれが経験のうちに見出す事態をひたすらなぞっていくことにしかならないわけです。ことばは意識の統御のもとにおかれ、その自由な展開は阻害されてしまうのですね。吉本隆明の詩が強いインパクトをもったとすれば、それは吉本の意識がとらえた世界認識がそのまま詩的メッセージとして詩のなかに強いことばで表出されたからにほかならないと思います。

このことを倉橋健一は六〇年もまえに指摘しているのを不本意にもわりと最近になって知りました。倉橋はこう書いています。

吉本の詩は、ことばと社会の関係については、情緒に対する自然物の関係から出発しているが、それがほとんどのばあい、読み手の側からは、吉本の思想家としての論理的な意識と、ことばに対する詩的意識の世界とを素朴に混同して見られるために、過大に評価されすぎてきたのである。★10

ここで若き倉橋は非常に大事なことを言っています。〈思想家としての論理的な意識〉と〈ことばに対する詩的意識の世界〉とを吉本は同一視し、吉本の読者もそれらを混同して、その詩がメッセージ性によって成り立っているだけで、詩の言語が本来もっているべき自立的創造性、無意識的な言語の隠喩的創造性にたいしてはそれほど寄与していないことがわかっていないということです。もちろん吉本の詩がその意識の十全性を超越して想定外の詩的創造世界をかいまみせる可能性を否定しきることはできません。そのメッセージ性の強さが吉本の孤立主義的思想の隠喩となっているかぎりにおいて吉本隆明そのものがある種の読者においては神格化され、その詩のことばは吉本思想全体の隠喩としても機能してしまうからです。

たとえば、詩「ちひさな群への挨拶」のなかの〈ぼくがたふれたらひとつの直接性がたふれる〉とか、「その秋のために」のなかの〈ぼくは秩序の敵であるとおなじにきみたちの敵だ〉といった一行の屹立がありますが、これは吉本でなければ書けない一行であって、吉本思想そのものの隠喩なのではないか、とわたしは考えます。しかしそのことは詩的言語の本質をめぐる問いとはおのずから別の問題領域に属すると言うべきでしょう。

夏目漱石は講演「文芸の哲学的基礎」のなかでこんなことを語っています。――《吾々の生命は意識の連続であります。そうしてどういうものかこの連続を切断する事を欲しないのでありま

★9　長谷川宏訳、作品社、一九九八年、二三ページ。
★10　『吉本隆明詩集』についての覚えがき」一九六三年、『倉橋健一選集3』澪標、二〇一五年、六六頁。

す。他の言葉でいうと死ぬ事を希望しないのであります。もう一つ他の言葉でいうとこの連続をつづけて行く事が大好きなのであります》[★11]さらに漱石はある書簡のなかで《私は意識が生のすべてであると考えるが、同じ意識が私の全部とは思わない》[★12]とも言っています。

吉本隆明の意識主義と同じように、漱石はつねに小説という文学形式のなかにみずからの生活の痕跡を書き込んでいく小説家であり、小説であるかぎりは全生活の意識化というヘーゲル的信条をもつ必要があったかもしれません。しかし先ほども言ったように、小説のことばとは本質的にことばの二次性としての散文以外ではありえず、そこでは隠喩は技法的効果としてときに「利用」されることはあっても、ことばそれ自体がことばの一次的本質である創造的隠喩性を獲得することは目指されていません。それは意識が可能にしうる限界点を示すだけなのです。

しかし、詩の場合はそれ以上にことばが意識を超越する必要があるのであって、ことばに世界を託するといった覚悟が必要になります。誤解されてはならないのですが、詩人が書くことに意識的であることが否定されるべきことではないのはもちろんであって、ことばの力がその統御を超えていってしまう瞬間があることを詩人はけっして見逃してはならないということのほうがもっと大事なのです。詩人とはなによりもことばを生き、る、こ、と、を選択した人間だからです。

フランス象徴主義の代表的詩人マラルメはこのことを誰よりもよく知っていました。詩を書くことにこれほど意識的だった詩人はほかにいないと言っていいぐらいですが、そのマラルメは代表的な詩論「詩の危機」のなかでこう言っています。

純粋な作品は詩人が語ることを消滅させるように誘導し、詩人は語に——それらの語の不等性が可動的であるために生じる衝突によって、——主導権を譲り渡すのである。★13

マラルメの現代性はこうしてロマン主義的な詩人の特権的な存在を消滅させ、ことばの超越的な〈主導権〉(initiative) すなわち言語の創造的隠喩性を確立させるところに明示されているのです。詩人が意識を超えてことばの自立的な創造的可能性に賭けていくとき、はじめて詩の僥倖との出会いが生じるでしょう。あらかじめ意識づけられていないことばの力を信じることがなによりも求められています。みずからのうちに保存されたことばにたいする知がモノを言うのはそのときです。詩人はそこでこそみずからを賭けなければならないのではないでしょうか。

(二〇二三年二月十一日、大阪、ドーンセンターにて)

＊

(追記　以下の文章は、この講演のあと、その概要として日本詩人クラブの会報『詩界つうし

★11　『文芸の哲学的基礎』講談社学術文庫、一九七八年、一九頁。
★12　三好行雄編『漱石書簡集』岩波文庫、一九九六年、二八一頁。
★13　私訳、Pléiade 版全集、p. 366.

ん』一〇三号のために書いたものである。関連文献として収録しておく。）

どういう風の吹き回しか、日本詩人クラブの初めての地方例会というイヴェントに講演者として招かれるという栄誉を担うことになった。事前に参加者名簿を送ってもらっていたので、どういうひとが来会するのかはあらかじめわかっていたのだが、なんと会場一杯の八〇人くらいの参加者があって、びっくりした。入場できなかったひともいたらしい。日頃、詩人とのつきあいもあまりなく、最近のコロナ禍をいいことにして本来の出不精を決め込んでいたわたしが大阪まで足を運んだのには、それなりのワケがあった。それは昨年（二〇二二年）秋に発足した第三次『イリプス』に参加させてもらうことになって、このメンバーの何人かに会ってみたかったからである。

いずれにせよ、『イリプス』のメンバーもふくめて、名前は知っているが会ったことのないひと、会ったとしてもせいぜい二、三度ぐらいまで、実質的に初めてのひとたちがほとんどである。詩人クラブのひともほとんど知らないのだから、さて、いったい何を話せばいいのか、まったく見当がつかないので、けっきょく自分がいまもっとも関心のあるテーマで話してみるしかないと判断して、『言語隠喩論』とそのさらなる展開である、萩原朔太郎と吉本隆明の詩的原理論を批判的に乗り超えていこうとする批評の仕事を開陳してみようということになった。

話としては前振りとして、詩を書くとはどういうことかを一般的に特徴づけ、すぐれた詩を書くにはそれなりの努力が必要だということを簡単に述べている。言わずもがなのことかとも思ったが、まずはそういった基本的なことを言っておきたかった。詩を書くということは、おおげさに言えば、日本語なら日本語でこれまでの詩人たちがおこなってきたことを踏まえ、そうした流れのなかで新しいことばを模索することである。そのための準備として詩人はこれまでに書かれてきた近現代の詩、詩論や詩人論、さらにはことばをめぐるさまざまなジャンルの言説を参考にすることが望ましい、ということである。詩人にとってはいかなる知もむだになることはないからである。知識がなくても詩は書けるというのは一過性のものにすぎない。詩や言語をめぐる知の蓄積が言語的無意識となってモノを言うのである。

それだけ言っておけば、わたしの言語隠喩論が言語の創造的隠喩性を主張していること、詩を書くことは事前にわかっていることをことばに置き換えていくようなものではなく、ことばの力をもってまったく未知の世界を発見し構築していくという野心的な試みであることを言えばよかったのである。

そして最後に、萩原朔太郎の『詩の原理』と吉本隆明の『言語にとって美とはなにか』で論じられている諸問題をその時点での問題意識にそって展開してみた。いま現在、『季刊 未来』でも連載中のこの問題についていろいろ調べ、確認し、新たな展望が開けているところだが、この講演のなかでは、時間の制約ということもあったので、おもに吉本と朔太郎の詩意識の差異について論じることに焦点を絞った。吉本は初期論考のなかで《詩作過程を意識とそれの表象としての言語との相関の場》ととらえ、言語の上に意識を置くのだが、そうではなく、わたしが《〈意識の表象としての言語〉ではなく、〈言語の表象としての意識〉というふうに逆転されなければならない》と述べたのは、詩の創造的なことばとは意識の先行性ではなく、意識を超越して発動される言語的無意識によってこそ実現されるのではないか、ということである。萩原朔太郎が《詩人があつて、言葉が出來てくるのではない。言葉があつて、詩人が生れてくるのである。換言すれば、言語が詩を決定するのである》と『詩の原理』のあとで主張するようになる、この原理的考察こそをわれわれは引き継がなければならないのである。

ざっとこんな理屈っぽい話をしたわけであるが、思いのほか聴き手の反応が良かったらしいのは望外のことである。

その後の懇親会で、これまで詩誌や詩集のやりとりだけであった詩人たちが何人も挨拶に来てくれて、うれしかった。詩人クラブの例会とはいえ、会員外のひとも多かったようだ。かなり遠くからわざわざ話を聴きに来てくれたひともいて、ふだん会うことのない詩人たちの肉声を聴くことができたのは、こうした会に出向いて来たごほうびであることを思うと、たまには外の風にあたるのも悪いことではないと思ったしだいである。

詩の真理性——言語隠喩論の新展開

二〇二一年七月末に『季刊　未来』と個人詩誌『走都』で分載しながら書きすすめてきた『言語隠喩論』が未來社から刊行された。あらかじめテーマを計画的に設定して書いていくのではなく、そのつど問題を模索しながら発見的にテーマを拡大しあるいは掘り下げていくという方針で、書きつぐことは苦しくもあり楽しみでもあった。連載の掲載ごとにいろいろ率直な感想を書き送ってくれる熱心な読者もいてくれて、そういう読者との意識的無意識的な連携と応答をも図りつつ、この本は書き上げることができた。すくなくとも詩人であったり、言語の哲学に興味があるひとにはなにか得るものがあるというレヴェルでは書けているつもりである。このたびは『季刊　未来』二〇二一年秋号の書評小特集で何人かの詩人に書評を書いてもらえることになっているので、どういう読み方がなされるのかとても興味深い。というのもこの本は停滞する現代詩の世界にとっての重大な問題提起だと考えられてしかるべきだし、より広くは詩的言語などについて問題意識の乏しい言語学者や言語哲学者にたいしても、さらには言語という媒体に依拠する以外に物事の本質をとらえることはできないはずの真性の哲学者にたいしてさえも、言語の本質についてこれまでにない問題提起をしているつもりだからである。すくなくとも詩を書く立場から言語の本質的な創造的隠喩性についてここまで踏み込んだ本はないはずである。

書評という形式をつうじて現われてくるだろう読解にたいして対話的応答をおこなうことによって、問題のさらなる摘出と展開を継続してみたいというのがわたしの望むところである。なぜなら、この言語の創造性をめぐる創造者自身による問題提起は初めて手をつけられた領域であって、さらに多くの問題を共有する必要があるからである。

1 詩人は無知で無自覚なのか

隠喩にかんして造詣の深い哲学者、菅野(すげの)盾樹はこうした創造者と隠喩の創造性についてこんなことを書いている。

隠喩の場合、創成の事実を判明に見ることは、当事者にとって、至難とは言わないがなかなか困難な作業である。おおかたの藝術家がそうであるように、作品の作り手は作品がどのように出来るかについてはあからさまに知ることは少ない。もちろんさまざまな苦労と引き換えに、ようやく彼は巧みな隠喩という褒美を、ひいては新たに住む世界を得る。だが、ついに彼は計画にそって世界を構築する創造主の座につくことはない。彼もまた世界の到来に立ち会う一人にすぎないのだ。[★1]

これはまさに創成期の詩人たちについてヴィーコが言ったように《詩人たちは人類の感覚であった》[★2]こととつながるが、たしかに、多くの詩人たちはみずからの言語の無意識にたいして無自覚的であり問題化しようとする意識も低い。しかし、この《至難とは言わないがなかなか困難な作業》にたいして詩人が本来的に無力であるというわけではない。すくなくとも『言語隠喩論』はそのことを問題にしようとしたものである。もちろんこの言語への問いが無限の問いであり、解決不可能な問いであるかもしれないとしても、それが詩の問いであるかぎり、――問いそのものが詩を書くことである以上、あらかじめ問いの可能性を放棄するべきではない。多くの言語学者――たとえば、《まじめにではなく、しかし正常の用法に寄生する仕方で使用されている》とオースティンは言う――のように、詩などという面倒な言語の一側面をたんに切り捨てるだけで言語の問題を解決したと思いたがるひとたちは、そもそも原初の言語が情動とのかかわりにおいて発生したものであることを見逃すか軽視しているのであって、言語こそがその創造的側面にお

★1　菅野盾樹『新修辞学――反〈哲学的〉考察』世織書房、二〇〇三年、二〇〇頁。
★2　ジャンバッティスタ・ヴィーコ『新しい学』上、上村忠男訳、中公文庫、二〇一八年、二七九ページ。

いては隠喩以外のなにものでもないことをわかっていないのである。かれらにとって言語とは人間によって創成されたものではなく、そしてたえず新たに創造されつづける創造的生産物であるのではなく、すでに厳然と意味づけられてあるべき既製品でしかないのだ。言語は生産的創造的であるのではなく、解釈され使用されるだけのものとされてしまう。言語的想像力のないところでは、言語はただの経験知にすぎないのだ。

さて、今度はすこし別の観点から詩人と科学理論の関係を述べた一文を参照してみよう。

> たいていの場合、詩人たちはすぐれた詩句を作るさいに自分たちがそれに従っている科学的法則を知らないといってよい。韻律法にかんしては、かれらはもっとも素朴な経験主義だけで満足しているが、それはもっともなことである。そんなことではいけないといって詩人たちを咎めることは、いやしくも頭のいい人間のするべきことではあるまい。（中略）
>
> 詩人たちは幸福である。かれらの力の分け前はかれらのほかならぬ無知にある。ただ、かれらがかれらの芸術の諸法則についてあまり激しくあげつらうことがあってはならない。かれらにはそうすることによってかれらの無邪気さとともにかれらの優雅さを失い、水の外に引き上げられた魚のように、実りなき理論の領域でむなしくじたばたすることになるのが落ちである。[★3]

これは十九世紀末の懐疑主義的思想家アナトール・フランスのエッセイ集『エピクロスの園』のなかの断章「芸術と科学的法則」のほぼ全文である。ここでも詩人の無自覚と知的能力の欠如について菅野盾樹と結局は同じようなことを言っていることになるのかもしれない。さて、こうなると詩人とは無知によって幸福であり、無知によって無邪気さと優雅さをもっていることになる。こんな話はいったいどこの国のいつの時代のものかと言えば、十九世紀末フランスの象徴主義の時代であって、A・フランスの皮肉な言明があたっていないわけではない。むしろ無知であることにかけてはわが現代詩の世界こそが該当するので、一般論としては、全体としては残念ながらそう間違ったことが言われているわけではない。

その意味で『言語隠喩論』はこうした詩人＝無知論にたいする反証であるとともに、より積極的に哲学、言語論への挑戦でもある。詩人にとってなによりもの強みは、言語創造の現場を踏まえているということである。詩の現場というものは創造という場をもたない学者が簡単に考えてしまうような安易な営みでもなければ、たしかに多くの現代詩人が陥っているにはちがいない、無知が暴力的に幅を利かす乱脈なことばの狂乱でもない。どこまで意識化しようとしてもしきれない言語的無意識とこれまでに獲得した知識や感受性を総動員して構成したものが詩という生産物なのである。すくなくともそういった認識にもとづいてわたしの『言語隠喩論』は書かれてい

★3　アナトール・フランス『エピクロスの園』大塚幸男訳、岩波文庫、一九七四年、五八ページ。

る。しかし、この問題は無尽蔵の問題を孕んでおり、ひととおりの問題点を提出したつもりでも論じ残したこと、気がつかずにやり残したこと、知らなかったために組み込むことができなかったことが山積している。あらためて言うまでもないが、ことばの問題は深く、広いし、詩の問題ひとつとっても簡単に解けるものなどなにひとつない。だからこそ、ことばの問題、詩の問題はおもしろいのだし、どこまでも挑戦するにあたいする知の領土なのだ。ここでは『言語隠喩論』の基本的観点をひきつづきキープしながら、さらなる展開をおしすすめてみたい。

2　詩はひとつの世界を切り開く——菅野盾樹の隠喩論批判

そうしたなかで『言語隠喩論』において参照することができなかった日本語による隠喩論文献のひとつに菅野盾樹『メタファーの記号論』[★4]がある。書名にも現われているように、記号論という名辞を用いたことによっていまとなっては逆にいささか鮮度が落ちてしまった印象を与えるが、あらためて哲学的隠喩論の問題の一角を検討するには内容的にけっして古びていない恰好の書物である。三六年もまえの書物をとりあげて云々するのは、菅野にとっては迷惑かもしれないが、ほかに類書がないのだからしかたがない。さきに『新修辞学——反〈哲学的〉考察』（二〇〇三年）の一節を引用したが、菅野は詩人を擁護する立場にはないし、わたしが『言語隠喩論』で徹底的に批判したジョージ・レイコフ／マーク・ジョンソンの『レトリックと人生』というような経験主義的な凡庸な隠喩論を、留保を付けつつも一定の評価を与えているような視点ももっている。とはいえ、（とくに）英米系の隠喩論についての広汎な知識と理解には得るところも大きく、亡くなった佐藤信夫を別にすれば、日本では突出した先駆的な隠喩論者であると言える存在ではないかと思う。あくまでもわたしの『言語隠喩論』の創造的隠喩性としての言語というアプローチとは異なるとはいえ、たんに事例を並べただけの新書ふうの隠喩紹介本とはちがって、隠喩の積極的価値づけをさまざまな角度から論じているという意味で、遅ればせながらもここで論及すべき問題点をいくつもを提出している。

そのなかで言語隠喩論的に特筆すべきなのは「第六章　隠喩と真理」の最後のほうで論じられている〈世界創世の十全性〉というS・R・レヴィンの概念と菅野の〈作品の真理性〉という観点である。

菅野は言う。

詩人はある想像世界を繰り広げてみせる。しかしそれはたんに世界の外部から指さす第三者としてではない。彼は世界を創成しつつただちにその世界の住人として振舞うのだ。（中略）

★4　菅野盾樹『メタファーの記号論』勁草書房、一九八五年。

可能世界の想像が想像力の主体のその世界への住みつきをただちに伴うような世界創成を「十全である」と呼ぼう。レヴィンによれば詩における世界創成はつねに十全なのである。（同前一八九頁）

このレヴィンの詩の世界創成という考えは、わたしの『言語隠喩論』の文脈で言えば、詩人の〈身分け＝言分け〉的世界対峙によるあらたな世界の創造という観点と対応するし、その世界への住みつきとはいかにもハイデガー的であるが、こういうふうに詩のことばの成り立ちから考えれば、菅野が言うように、《詩が語りだす事態はすべて、つねに成立している。したがって、レヴィンによれば、詩においては文はみなつねに真でしかありえないのである。》（同前一九〇頁）ここで〈十全な〉ということばは「adequate」の訳であるが、十分かつ適合的であり、内容的に創造された世界にふさわしい、といった意味になろう。残念ながら菅野がここで引用しているレヴィンの文章は、*The Semantics of Metaphor*（『隠喩の意味論』）という一九七七年の本からのもので、わたしは参照することができないが、手元にあるレヴィンの一九七九年の別の文章が多少は参考になるので引いておこう。

詩のことばが文字通りに受け取られるならば、そこに描かれた世界はたしかに一個の創造物である。というのも、その世界は、現にあるような事態が単純で面白くもない或る変容を受けて達成されたものではなく、むしろ、現状からの徹底して根本的な離脱によってこそ得られたものだからである。その結果が、こう言ってよければ、「ありえないような」可能的世界なのである。このような世界は、たんに経験されただけのものではなく、創造されたものなのである。★5

このレヴィンの、詩が自動的にひとつの創造世界になる、という考えはあまりに安易なもので、いささか単純すぎることは否めない。したがって、菅野が先の引用につづけて《われわれはこの見解を受けいれることができない。詩作品でありさえすればつねに世界創成が十全であると見るのは、詩をかいかぶりすぎている》（『メタファーの記号論』一九〇頁）と批判するのは当然である。菅野はさらに《詩では何もかもが全部真であると見るのは詩を買いかぶっているが、またある意味では、詩を軽んじてもいる。全部が真だということは偽の能力を詩に拒むことであり、詩に譲与された真理が日常的言明のリアルな真理とは異なる特種な真理でしかない、ということでもある》（同前一九一頁）とダメ押しする。《それは「詩的真理」であり、ときには並の真理よりいっそう啓示に富む高級な真理だと持ちあげられるかもしれない》（同前）とリクールの『生きた隠喩』を批判したりもする。

★5 レヴィン「隠喩の標準的な読解法と文学的隠喩」青木孝夫訳、佐々木健一編『創造のレトリック』勁草書房、一九八六年、一五七ページ。訳文表記はいくらか変更している。

ここにレヴィンの所論にたいする菅野盾樹の〈作品の真理性〉という観点が対位されるのだが、これもわたしの『言語隠喩論』の文脈で言えば、隠喩的価値の発見ないし創造をひとつの〈真理〉的価値と想定すれば、そんなにちがうことを言っているわけではない。

菅野は言う。

作品としての隠喩へ真理の可能性をもたらすのは、その作品としての巧みさであって、その逆ではない。ここで言う隠喩が死喩などではなく、生きて働く隠喩、活喩である点に留意しよう。(中略)死喩はそもそも作品ではありえない。しかし他の表現によって代えがたい必然性を帯び、豊かな含意を伴った活喩の場合、隠喩の巧みさが真理を招き寄せるのだ。(同前一九一―一九二頁)

ここで〈死喩〉〈活喩〉ということばは、ポール・リクールのことばで言えば〈死んだ隠喩〉〈生きた隠喩〉ということだが、菅野の詩の理解は、喩の〈巧みさ〉が詩の〈真理の可能性〉をもたらすというだけのことであって、これでは比喩の本質はことばによる物事の類似性の発見にあるとするアリストテレスの理解から一歩も出ていない。詩における真理性、すなわちあらたな意味と価値の発見はたんに詩として書かれればそれでよしとするレヴィン的な解釈のなかにあるのではなく、また〈偽の能力〉をふくめたことばの〈巧みさ〉といった菅野的な理解のうちにあるのでもない。詩のことばは詩人のそれまでの体験や思考の経験をふくむ言語的無意識からある種の必然性にもとづいて汲み上げられたものであるかぎり、嘘はつかないし、嘘をつく必要もないのである。そういう詩においてのみ、ことばは他に置き換えのできない真理性として顕現するのである。《話し手が詩のつもりで文を語っても聞き手に詩として評価されなければ（たとえその意図がキャッチされても）、それは遂に詩にはなりえない》（同前一九一頁）と菅野が言うところをみれば、詩の真理性、詩の価値が詩の自立性にあるのではなく、対社会的な理解（評価）の範疇に収められてしまう。《詩（ひいては文学）の領域を画定するのは社会》（同前）なのだと菅野が書くとき、詩が同時代に理解されることがなくても、詩そのものの力によっていつか理解され評価されるようになったという数多くの事実がどんなに詩史を煌めかせるものであったかをすこしでも想起すれば、こんな対社会的な一時的な真理性などたいして意味のないことがわかるだろう。そして言うまでもなくその逆もあって、当時の評価がまったく消滅している詩人もなんと多いことか。したがって《隠喩は一つの世界ともう一つの世界のあいだにしか生息できないのだ。その生い立つ中間地帯は、しかし、世界の世界、始原世界（プロト）などでは決してないことをわきまえるべきだろう》（同前一九三頁）という菅野の解釈は、〈作品の真理性〉なるものが現実世界からのぞき見た詩の世界性の一面にすぎないことがはっきりするだろう。詩は現実世界ともうひとつの世界との〈中間地帯〉などにははじめから存在しない。隠喩は言語のあるところ、その創造性のあるところではつねにひとつの世界を切り開くのであり、詩の一篇とはそうして切り開かれた世界の精確な隠喩そのものとなるのである。

3　ことばの無意識という起源

こうしてふたたび言語の創造的隠喩性という『言語隠喩論』で展開した詩の原理の次元に舞い戻ることになる。八重洋一郎が鋭く指摘してくれたように、[★6]《ことばの無意識的な起動力と隠喩的な世界切開力に最初は依拠しながらそのことばの運動に身を委ねつつそこに意識的な統御をくわえていく行為こそが詩だ》（『言語隠喩論』二四五頁）というわたしの詩の最終定義はいまのところ譲れない。それはレヴィン的な手放しの詩的言語礼賛でもなければ、菅野盾樹やアナトール・フランスの詩人の無知、不明性の決めつけでもなく、言語の本質的創造性は詩人のことばによる必然的な隠喩的探究にあることをそれこそ十全に意識化している真性の詩人たちによって切り開かれるのである。この定義の後半を曖昧だと指摘する声もあるが、詩の生成においてどのような〈意識的統御〉が可能となるのかは、詩人それぞれの資質、知性と感性、経験の質によって規定されざるをえない以上、これよりほかには言いようがないのではなかろうか。

《詩人の精神には原始人が棲む》（西郷信綱）と言われるのも、詩の言語が、ふだん使用されて摩滅してしまっている日常言語のレヴェルではなく、より根源的なことばの深層において生き直されようとするからである。詩人がことばの無意識にたいして開かれているのは、既成の手垢にまみれたことばにではなく、通常のことばの理解では到達しえない世界に飛躍しようとするからである。それは詩人の無意識の不明性に帰着させられるべきものではなく、詩人の試みをとおしてことばの無意識が到りついた世界現実のひとつの臨界面なのである。

このことを現代イタリアの哲学者ジョルジョ・アガンベンははっきりと認識している。

彼ら〔詩人たち〕はまずもってもろもろのしきたりや日常的な使用法を放棄し、彼らが支配しなければならない言語をいわば外国語化してそれを恣意的で冷厳な規則体系のうちに書きこまなければならない。その外国語の程度たるや、根強く残っている伝説によると、語っているのは彼らではなく、あるひとつの別の神的な原理（ムーサ）が詩を発していて、それに詩人はただ声を貸しているにすぎないかにみえるほどなのだ。すなわち、彼らは言語を自分のものにすることを追い求めているが、それは同じ程度に自分のものでなくすことでもあるのであって、詩的行為は自分のものにされてしかるべきものがそのつど自分にとって疎遠なものになる二極的な所作として立ち現われることとなるのである。[★7]

★6　八重洋一郎「創造と破壊の情熱」、『季刊　未来』二〇二一年秋号。
★7　アガンベン『身体の使用――脱構成的可能態の理論のために』上村忠男訳、みすず書房、二〇一六年、一五二ページ。

哲学者としてはめずらしく詩的感性をもつアガンベンは、マラルメの「詩の危機」について触れながらこの詩人について《近代の詩人たちのうちで最もプラトン的な詩人》と認定してわたしを驚かせたことがある。言語の隠喩性については、なにかとアリストテレスの『詩学』や『弁論術』がもちだされるが、プラトンのイデア論が言語の始原的根拠となりうることをあらためて検討する必要があるかもしれない。《「薔薇」という語および「薔薇」という概念が現実に存在する薔薇を指示することができるためには、薔薇のイデア、その純粋な言表可能性とその「起源」における薔薇を想定する必要がある[★8]》としてマラルメの「詩の危機」のなかの有名な一節――《わたしが花と言う。するとわたしの声がそのいかなる輪郭も追放してしまう忘却の外に、よく知られた萼以外のなにものかとして音楽的に立ちのぼるのは観念そのもの、あらゆる花束の不在である甘美な観念なのだ。[★9]》を引くのであるが、反詩人的と目されるプラトンのイデアこそ詩人がことばを発するさいのもっとも普遍的な原基かもしれないのである。そこに出現するのは詩のことばが発出されるさいのことばの起源であり、その起源こそこんどは個々の詩人の声をつうじて言語そのものの声を響かせるのではなかろうか。

宗近真一郎は『言語隠喩論』における隠喩の〈独在論〉ないしは〈絶対化〉と換喩論の相対的不在を指摘している。[★10]その指摘自体は間違ってはいない。わたしは詩の言語においては言語は隠喩として機能するばかりか、隠喩の全的展開としてみずからをさらなる巨大な隠喩として構築する理路を言明しているからである。宗近はわたしの文章を引用しながらさらに書いている。

「言表の主体」は「表現の作者」ではなく、非中心的な〈ひとつの場所〉、〈ひとつの次元〉であると記すフーコーの『知の考古学』の一節の〈ひとつの次元〉を、「深い審級」における「詩人」であると著者は捉える。これは、パラドクスであるだけではなく、主体の消滅の果てに主体が形成されるという「原理」のアクロバシーが要請される。「詩人がいるのではなくて、詩のことばという〈ひとつの次元〉が存在するだけ」という事態を「詩人」の主体性に同一化できるか。(同前)

さすがに宗近は本書のキモを突いている。『言語隠喩論』の核心にあるのは、このフーコーの〈ひとつの次元〉という認識論的切断とそこにおける詩人の位置が〈表現の作者〉という従来の表現＝主体論の次元にではもはやなく、《主体の消滅の果てに主体が形成されるという〔言語隠喩論の〕「原理」のアクロバシー》となっており、言語と主体のパラドクスを見定めているからである

★8 アガンベン『哲学とはなにか』上村忠男訳、二〇一七年、みすず書房、一一二ページ。なお、このあたりのことは拙著『単独者鮎川信夫』思潮社、二〇一九年、一〇五頁で言及している。
★9 Stéphane Mallarmé, "Crise de vers", Œuvres complètes, Bibliothèque de la Pléiade, 1945, p. 368、拙訳。
★10 宗近真一郎「詩作の可能的な主体は「原理」の挑発を踏み堪えよ」、『季刊 未来』二〇二一年秋号。

る。そして《「詩人がいるのではなくて、詩のことばという〈ひとつの次元〉が存在するだけ」という事態を「詩人」の主体性に同一化できるか》という問いを放ってくる。だが、こうした言語の審級のなかで〈「詩人」の主体性〉が事態との〈同一化〉をはかる必要性があるのか、という問題があらたに浮上する。そもそもフーコー的な意味では言語＝表現のなかで〈主体性〉という概念は消滅している。しかしそれでも詩的言語の創造という作業はさまざまなかたちで持続的におこなわれているという厳然たる事実は否定できないのだから、いわゆる「詩人」もその「主体性」も完全に解体してしまったわけではない。詩人とは、こうした事態のなかで、詩を書くそのつど詩人になる存在である、とわたしが言うのは、その詩がことばの本質的隠喩性を引き受け、みずからを開示していくかぎりにおいてのことであって、ことばが切り開いている〈ひとつの次元〉のなかで「詩人」とはそうした詩の媒介者としての仮の符牒と化すのではなかろうか。そこにおいて書かれた詩と詩人の同一化が実現するのであって、詩人の主体性とはそうした現象の影ないし反映と呼んでいいのかもしれない。

権利請求と応答責任――言語隠喩論の進展のために

二〇二一年七月末に刊行した『言語隠喩論』（未來社刊）にたいしては公私にわたってじつに多くの書評、感想、意見、批判などが寄せられ、いまもさまざまなかたちで紹介や言及がつづいている。[★1] これまでの経験にはない早い反応に驚きつつ感謝に堪えないが、そうは言っても、わたしの問題提起がかならずしも十分に伝わっていないか単純な読み違えや思い込みに起因するさまざまな誤解もあり、またこちら側にも説明不足や展開不足があったかもしれない憾みがないわけでもないので、今後のさらなる言語隠喩論の発展のためにもこのあたりでいちど論点整理と応答をおこなってみることが必要だろう。

★1　二〇二一年十二月九日現在で単独の書評十七本、月評での論及が四本、各詩誌での紹介・言及が三本、『現代詩手帖』十二月年鑑号の「アンケート〈今年度の収穫〉」で十九人がとりあげているほかに、後述するように、この本をめぐって書かれた単行本がすでに一冊ある。この現象はいまもつづいている。

1　隠喩＝根源的言い換え論批判

さて、そういうなかでまず第一に応答したいと考えるのは、『週刊読書人』二〇二一年九月二十四日号に掲載された郷原佳以による書評である。デリダやブランショのすぐれた若手研究者である郷原には本書の諸章発表時から関心をもって読んでくれていたという経緯があり、さすがにその読み込みには鋭く深い理解が示されている。多くの詩人たちにはひとつの発見でしかなかったかもしれない今回の隠喩論の問題提起が、彼女においてはさらなる洞察と異見の材料になる。わたしが詩人以外にもできるだけ多くのひとに応答してもらいたいと思うのは、詩という狭い枠の中だけでなく、言語に関心をもつひとたちが言語論としても書かれたこの本をどう読んでくれるのかぜひとも知りたいからである。

郷原佳以は、わたしの論をおおむね肯定してくれているなかで、アリストテレスの隠喩の定義をめぐる解釈と評価のあたりから《言語起源論をめぐる序章から感じていた本書への違和感の正体が摑めたように思った》として、《本書は、言語が原初的に未知の世界を開く詩的な営みであるという主張を繰り返し、それを言語の本質的隠喩性と呼んでいるが、なぜそれを「隠喩」と呼ぶかの理由を示していない》と指摘し、さらには《既存の言語体系の枠に入らない言葉が世界を拡張することが詩の根本的な営みであるということには深く首肯できるが、その性質を表したいのであれば、「詩（ポエジー）」の語源であるため同語反復になるが、ポイエーシス（制作）でよいのではないか》と言う。郷原はフランスの現代詩人ミシェル・ドゥギーの例を挙げ、《ドゥギーの場合、言語の根本に他なるものへの遠ざかりないし結びつきの動きを見出しており、それはあらゆる文彩以前の「超えて－運ぶこと（メタフォラ）」、すなわち根源的な隠喩である》としてリクールや佐藤信夫らの創造的隠喩論の系譜にわたしを位置づける。だが《彼らの隠喩論も「超えて－運ぶこと（メタフォラ）」としての隠喩概念、そしてアリストテレスの隠喩論なしには存在しえない》とする。そしてこう結論する。

> 本書は隠喩を「言い換え」とみなす人々をたびたび批判しているが、いかに根源的であろうと、隠喩と呼ばれる限りは、それは「喩」すなわち「言い換え」の一つであり、根源的隠喩とは根源的言い換えのことである。

どうやらここに郷原佳以の『言語隠喩論』にたいする《違和感の正体》の正体が現われていると思う。わたしが『言語隠喩論』でしつこいほど繰り返しているのは、言語の隠喩性とはそれ自体がなにものの言い換えでもないこと、あえて言えば言い換えのきかないなにか未知なるものへの言い及ぼし、あるいは命名であり、言い換え不可能なものへの接近〜到達の可能性（の条件）ということであって、詩の言語こそがその純粋性においてこの言語の隠喩的創造力をもっとも具体的に実現しうるのではないか、という論点である。だからリクールや佐藤信夫にしても、さらにはドゥギーの隠喩（メタフォラ）解釈にしても、一方は隠喩の外在的解釈にとどまること、もう一方は「超えて－運ぶこと」の限定性、すなわち隠喩の本質的創造性よりも移動と拡張の原理的性格の強調であって、言語の隠喩的はたらきによる未知の世界の創造という主張がないこと、においてわたしの論点とは最終的に行き別れるのである。郷原が《いかに根源的であろうと、隠喩と呼ばれる限りは、それは「喩」すなわち「言い換え」の一つであり、根源的隠喩とは根源的言い換えのことである》と結論するのであれば、わたしの言語隠喩論の根源的な問いかけ、問題提起は残念ながら郷原には最終的に届いていなかったことになろうか。

わたしの主意は言語の根源的隠喩性とは始原的・原－措定的なものであって、なにものかの言い換えではなく、詩はそうした根源的隠喩性にたえずたちかえることによって真正の詩が書かれうるのではないか、という意味でポイエーシス的なものである、ということである。だからここで言う〈隠喩〉とは言語の本来の特性であって、詩はそれを創造的に活用するものだということである。それはレトリックの技法のひとつとしての隠喩をすでに超越しているという意味で〈超－隠喩〉とでも呼びたい衝動にかられる。本書のそもそもの目的は言語の本質的隠喩性をたしかめることであり、詩はその本質に依拠しておこなう創造行為のもっとも確信的な営為ではないか、という主張なのである。

言語のなにものにも依拠しない本質的隠喩性とその創造力にかんしてさまざまな哲学者や言語学者、批評家、詩人の言説を引用してきたのは、こうした言語の隠喩的創造力にかんしてなにかヒントを得られないかという努力の痕跡にすぎない。そして言語の本質的隠喩性についてはなにほどかの確認を得ることはできたが、それがとりわけ詩というジャンルの言説のなかでときに獲得する、未知の世界のなにものにも代えがたい絶対的な新規性はどうしたら実現するのかという説明と理路はついに得られなかったということを告白しておかなければならない。E・カッシーラーが言う〈根源的隠喩〉[★2]とはそういう目標のひとつのイメージである。

ことばが本来の創造的ちからを保持するばかりでなく、たえず更新してやまないような領域、ことばが一種の不断のよみがえりと同時に、感覚でありかつ精神的であるような化身とをおこなうような知的領域が存在するのだ。こうした再生は、言語が芸術的表現に通じる道になるときに成就される。ここにおいて、言語は生命の充実ぶりをとり戻す。(『言語と神話』一三六ページ)

根源的隠喩とはことばが達成しうるこうした知的領域であると言ってもいい。だがそこへの探究はこのカッシーラーをふくめていまだ誰も挑戦することのない未踏の領域であることも間違いない。このことは僭越ながら何度でも言っておかなければならない。だからこそこの言語隠喩論

★2　エルンスト・カッシーラー『言語と神話』岡三郎・岡富美子訳、国文社、一九七二年、一二〇ページ。なお、この翻訳では「根元的比喩」と訳されていて、これでは不十分である。

の探究は終わることも終えることもできないのである。

もうひとつ郷原佳以の書評で指摘された問題に『言語隠喩論』におけるアリストテレスの比喩論にたいする否定的解釈の問題があり、このことは誤解される余地があったかもしれないので、このさいあらためて言及しておきたい。というのはわたしがアリストテレスの比喩（隠喩）論を批判するのは、あくまでも《この比喩（隠喩）論は基本的に意味の転用、言い換えにすぎず、わたしの言語隠喩論が解明しようとする言語それ自体の隠喩性、その創造力にたいする言及が見られないことであって、ことばの技法論に収まってしまっているにすぎないことである。アリストテレスもまた隠喩の力を外部的に観察し分類するにとどまってしまっている。かれも詩人ではなかったからで、これはないものねだりになってしまうが、ことばの内側、ことば＝隠喩の発生の現場を見ようとしていない》[★3]ところにあるのであって、これまでもしばしば触れてきたことがあるが、アリストテレスの隠喩の定義の歴史的価値とオリジナリティをいささかも否定するつもりはない。むしろ隠喩をめぐって誰よりも早くから論及し、分析し、定義した功績には絶大なるものがあることは隠喩に関心をもつ者として否定しようがないのである。このことだけははっきり言っておくべきだと思う。

2　さまざまな批判と誤読

　隠喩という問題を立てると、まずは隠喩の歴史的解釈、一般的理解のあたりでどうも引っかかりをもつひとが多いらしい。隠喩的表現とか隠喩の使用という常套句が詩人においてさえも自然と口をついて出るようで、そこで言わんとされることは、なにかほかに言いたいことがあって、それをすこし詩的に粉飾してみようとするとか気の利いた言い回しを「使用」してみたいといった次元に結局は終始しているのではなかろうか。ことばの日常的使用の延長と拡張のレヴェルで詩的言語表現を考えてしまえば、こうした理解にとどまってしまうのは、わたしの言語隠喩論的原理からすれば、当然の結果なのである。そこには大きな発見も驚きもない。原初の言語が隠喩として発生せざるをえなかった事情は『言語隠喩論』序章ですでに述べたとおりだが、現代の言語的生活のなかではことばのオリジナリティは摩滅し、〈死んだ隠喩〉（リクール）と化した日常言語があたかもことばの正常な状態であるかのようなふるまいを見せ、ひとびとはことばの生み出す創造力の場を文学という墓場に祀り捨てているかのようである。興味がなければ読まなければいいといったあしらいでことばにたいする深い関心もなければろくな知識もなしですませている。詩や文学など読まなくても生きていける、というわけだ。ハイデガーはそれを《日常性の存在の

★3　野沢啓『言語隠喩論』未來社、二〇二一年、一三八頁。

或る根本様式》の露呈として〈現存在の頽落〉[4]と呼んだ。それがいまや文学者はおろか詩人においてさえもウィルスのごとく蔓延しているのではないか。一般人はどうあれ、ことばの尖端を生きようとする詩人において詩を書くということは誰も書いてみたことのない世界をことばだけで成り立たせてみようとする試みにほかならないはずではないか。それがことばのもつ本質的隠喩性という立脚点を支えにことばを生きるということにほかならない。

こういうことを書くと、それは《隠喩の独在論のように見える》とし、《隠喩がことばの起源として本質化されたことが隠喩の定義に敷衍されたまま、隠喩が絶対化される》と疑問視し、あげくのはては《隠喩に対置される換喩への言及が僅少で……両論併記ということがない》[5]とトンチンカンな批評にいたるひとも現われる。ここにはいくつかの言説的次元の混同が見られる。

まずはことばの発生の起源として隠喩の出現が見られること、隠喩という定義がなされるまえにことばが隠喩として出現せざるをえないことからことばの本質的隠喩性が確認できることと、隠喩が絶対化されることとはまったく別のことである。したがってそこから《隠喩の独在論》を言うことは意味をなさない。わたしは言語の本質的隠喩性を指摘し、それが言語表出（とりわけ詩）の局面においてはその想像力のはたらきが言語の隠喩的創造力に依拠することの原理的問題を摘出したのであって、そこにあっては通常の修辞学で比較される隠喩と換喩の二元論など最初から論外であるのは言うまでもない。日常言語レヴェルでの隠喩と換喩の並立、せいぜい言って言語学上の比較などとわたしの言語隠喩論は別の位相にあり、換喩などは創造の原理としての隠喩的本質とは次元がちがうのだ。そういう認識にたつレヴェルにおいてなら隠喩の独在は正当なものと言ってもよい。宗近真一郎がなんでいまさらこんな《両論併記》などというそこらのジャーナリストや編集者のようなつまらない言辞を吐くのか理解に苦しむ。くりかえすが、言語の発生時における隠喩的特性が敷衍されてそのまま言語の本質的隠喩性を形成するのではなく、ことばの創造的局面がことばの原初的本質にたえず遡及しようとするからことばが隠喩的創造力を発揮することができるのである。そのとき、ことばは事前になにごとも書くべきものを用意していない。言うべきことがあってそれをうまく「表現」しようとしたらそれは散文の問題であって、換喩の次元にあることになる。真正の詩はことばがおのずからつくりだす未知の世界の発見のことでなければならない。詩のことばがもつ換喩性という機能についてなら換喩論者の平板な解説にまかせておけばよいのである。

ここからつぎのふたつの問題がでてくる。ひとつはなぜ詩を特権化するのかという「批判」であり、もうひとつは詩はもうすこしラクなものであってもいいのではないか、隠喩以外にもイメージやリズム、音韻が先行する場合がある、といった意見である。後者の考え方をわたしはすこしも否定していない。ことばの本質的隠喩性とは詩的な未知の世界を創造する原理だと言ってい

★4　マルティン・ハイデガー『存在と時間』第三八節、『世界の名著74　ハイデガー』原佑・渡辺二郎訳、中央公論社、一九八〇年、三〇九ページ。

★5　宗近真一郎「詩作の可能的な主体は「原理」の挑発を踏み堪えよ」、『季刊　未来』二〇二一年秋号。

るのにすぎないから、その具体的方法はその詩人独自のものであっていいのである。漠としたイメージやリズム、ことばの響きが先行するとき、それが既在のなにものかに収斂していくのではなく、そこからそれまで及びもつかなかったイメージや音の展開が見出されるとき、その詩はひとつの未知なる世界を解放すると言えるからだ。イメージやリズムや音感といったものもすべてことばのそれであって、ことばから独立して存在するわけではない。

先のもうひとつの問題にも回答をしておかなければならない。わたしもじつに驚いたことだが、『言語隠喩論』が（二〇二一年）七月末に刊行されたのにもかかわらず、なんと（同年）九月下旬には谷内修三より『野沢啓『言語隠喩論』を読む』[★6]なるB5判一一二頁の書物が届けられた。これは十月一日の奥付をもつとはいえ、実質二か月足らずで刊行されたことになる。谷内のブログ「詩はどこにあるか」で十回にわたって矢継ぎばやに書きつがれたものをベースにそれに関連する詩集評などを織り込んだ本で、谷内の本づくりの方法の詳細はよく知らないが、ともかく異様な早さで書籍化されたことは事実である。わたしも途中からそのブログを読んでいていくらかの感想を述べたこともあり、そもそも一貫して「隠喩」を「暗喩」と書いているのを見て言及したところ、修正されたかたちで本ができあがった。

それはともかく、この本で谷内が終始一貫して批判をしているのは、わたしが詩を特権化しているという批判と、つねに変わらぬ隠喩の置換理論ないし転移理論への思い込みからくる異和感の表明である。どこを切っても同じような批判と異和感の表明だから典型的と思われる箇所を二箇所ほど引用しておく。

ことば、とくに詩人のことば(そして詩人)を「特権階級」のようにしてとらえる野沢のことばの運動に、私はとても疑問を感じる。(二六頁)

「隠喩」を問題にするのなら、もっと「ことば」そのものにこだわって、どのことばがどのような「隠喩」になっているのか、それを指摘しながら、自分が知っている世界と、高良〔勉〕、氷見〔敦子〕の書くことで出現させた世界がどう違うのか、それを書かないと「隠喩」について書いたことにならないのではないか、と私は疑問に思う。(五五頁、〔 〕内は引用者)

まったくいったいどう読んだらこんな批判が出てくるのか、と思わざるをえない。まずわたしは詩を書く立場の人間として言語の本質的隠喩性を論じていることはあっても、詩や詩人を特権化したなどとはとうてい言えないだろう。それどころか、ちゃんと読んでもらえばわかるように、現代詩の多くが詩を批評的、原理的に考えようともせず、感性と感受性のみに頼って詩と称する

★6 谷内修三『野沢啓『言語隠喩論』を読む』(「詩はどこにあるか」別冊)象形文字編集室、二〇二一年。

ものを書いている現状をつよく批判しているし、真正の詩以外の詩を評価などしていない。前述したように、詩の問題を考えるとしても、言語に関心をもつ詩人以外のひとたちによりつよく訴えようとしているぐらいである。いまの現代詩に特権化するような基盤はどこにもないし、それを顕彰しようとするつもりもまったくない。ただ、詩の本質は言語の本来的な隠喩性とそのはたらきにおいて散文よりも顕著にあるだろうということを誰よりも力説していることは間違いないが、それは詩と言語の本質的結びつきをさまざまな言説を検討していくなかで確認してきたことである。そこを読み取ろうと努力することなしに、ほとんどの引用文献を「著者の名前も知らない」「わたしは読んだことがない」ですませてしまい、あくまでもみずからの実感から条件反射的に批判したり異和感（反感）をもつからこういう雑ぱくな批評になってしまうのだ。

二番目の引用に明白であるように、谷内は詩のことばのひとつひとつが何にたいする隠喩かを明らかにしないと《「隠喩」について書いたことにならないのではないか》と教訓めかして書いていて、驚くしかない。これはわたしが『言語隠喩論』で徹底的に批判してきた隠喩の置換理論ないし転移理論のレヴェルへ逆戻りしろ、と言っているのにひとしい。このことばはこれの隠喩であり、あのことばはあれの隠喩であるなどと言えば、谷内は納得するのか。そんなだめな読みかたを拒否し、詩の全体がひとつの未知の世界を切り開くことを主張し、詩のなかのひとつひとつのことばがこうした世界の構築のためのピースになっていくその構造こそを『言語隠喩論』は一貫して書いてきたのであって、その点をこそ谷内はまず読み取るべきである。詩の細部を細かく切り分けで全体をがらくたの寄せ集めに分解することは、詩にたいする根本的な無理解というものだ。谷内はわたしが最悪の隠喩解釈として批判しているジョージ・レイコフ／マーク・ジョンソンの実用一点張りの、創造性のまったく欠如した隠喩論と同じく、《私の書いていることは、野沢が（……）批判しているレイコフ／ジョンソン批判のたぐいのものかもしれない》（六六頁）などと書いてもいるから、すこしは自分の読みかたへの反省をしているかもしれないのだが、そう言ったとたんに《でも、私は、そういう自分の知っている「読み方」でしか、ことばと向き合うことしかできない。自分の知っている生活のなかに埋没している常套的な「読み方」で「誤読」し、そこに書かれている「ことば」を点検する》（同前）などと書いているから他人の書いたものを自分の物差しにあてはめて条件反射的な超実感主義で批評するだけなのだ。

関心のない読者にはこれ以上は退屈だろうから、こういう論者のためには坂口安吾が書いているつぎの含蓄あることばはが参考になるだろう。

文学のように、いかに大衆を相手とする仕事でも、その「専門性（スペシアリテ）」というものはいかんとも

★7　たとえば『現代詩手帖』二〇二一年十一月号の稲川方人、中尾太一、菊井崇史による「現代詩季評」において、詩人のことばのセンスと感性、感受性などが詩の評価の基準とされていて、いまどきまだこんなタームで詩を論じるのか、と非常にがっかりした。詩の原理的思考がないから、こういう水準でとどまってしまうのだろう。

仕方のないことである。どのように大衆化し、分りやすいものとするにも、文学そのものの本質に附随するスペシアリテ以下にまで大衆化することはできない。その最低のスペシアリテまでは、読者の方で上ってこなければならぬものだ。こなければ致し方のないことで、さればといって、スペシアリテ以下にまで、作者の方から出向いて行く法はない。[★8]

谷内にはものを書くならすこしでもいいから専門性（スペシアリテ）へ向かおうとする努力が必要だろう。それが他者の書くものにたいして批評を書く者の最低限の礼接というものだ。

3　言語隠喩論のたたかいはつづく

それにしても、現代詩をやっているひとたちの論理的読解力というのにはちょっとあきれるところがある。おそらく本を読んでいても、自分の観念というか妄想にとりつかれながら読んでいるからか、普通に読めば理解されるはずのことが、まったく違ったふうに読んでいることに気づかない。これは別に詩人に限られることではなく、一般の読者でもそういった読みかたをしているひともいくらでもいるだろう。しかしこういったひとたちの場合は、当人がどう読んでいるのかひとには察することができないからなんとも言いようがないが、詩人の場合は、そういった誤解や勝手な思い込みをちょっとした文章に不用意に書いてしまうことがあるから、誤読、誤解、勘違い、思い込みからくるとんでもない解釈がバレてしまう。ちゃんとした論文だったら批判や批評の対象になるが、当人にそんな気のない雑文のたぐいにそういうアラが見えてしまってもひとはふつうは読み流すか、問題にもしないでやりすごしてしまう。読書のエコノミーとはそういうものだ。

わたしもおおむねそうしたスタンスをとっているが、ことが自分のことにかかわるとなると、そうはいかない。

『橄欖』という古くからつづいている同人誌があり、日原正彦というヴェテラン詩人が発行・編集している。その日原が同人雑記帖とでも言うべき「橄欖者」というページで、言語の隠喩について書いている。書き出しは《あらゆる言語は、(隠)喩の影を曳いている。あるいはその匂いを放っている、と言ってもいいだろうか。これは言語が、単に記号や意味伝達のツールであるというだけでなく、想像力に参加する要素を持っているということである》とあって、曖昧だが、なにか言語の喩の問題について考えようとしているのか、と期待して読んでみると、隠喩と直喩の例を挙げて通り一遍の解釈をしたあとでこんなことを言うのである。

《しかし、前者〔隠喩のこと——引用者〕が優れているとか、後者〔直喩のこと——引用者〕が

★8 坂口安吾「FARCEについて」、『堕落論』集英社文庫、一九九〇年、一三七頁。

劣っているとかいうことにはならない。実作の場で、その時々に応じて使い分ければよいだけのことである。この場合、言語そのものの「喩」性ということではなく、あくまでもツールとしての喩についての話である。》

ここでは《言語そのものの「喩」性》ということばが出てくる。これはわたしが『言語隠喩論』で徹底的に主張したことであるが、日原はそうではなく、《ツールとしての喩》を問題とする。なんのことはない、あいかわらずの喩の単純な技法論の話であって、いつまでたっても（隠）喩とは何かの言い換え、置き換えにすぎず、詩人はそれをそのつどの技法として使ったり使わなかったりするというだけの話である。日原は詩における《深い詩的愉悦》を与えてくれるものについて言及し、《その詩の全体が一つの喩になるように作られている》というようなことも言って、まるでわたしの言語隠喩論の受け売りのようなことを断片的にはさんだ挙げ句にこう結論する。——《よって「言語隠喩論」は「詩的言語論」と言い換えてもいっこうにかまわないのである》と。

おいおい、《いっこうにかまわない》どころか、こっちはおおいにかまうのである。なぜならここで名指しはされていないが、「言語隠喩論」とはわたしの『言語隠喩論』以外のなにものでもありえないからであり、おそらく日原もそれを念頭においていることは前後の文章からみて間違いない。「言語隠喩論」とはわたしの知るかぎりだれも使ったことのない概念であり、一見いかにもありそうでじつはないのがこの概念だからである。わたしがこの概念を設定したときにさんざん迷った結果、やはりこれ以外にはないというかたちで使った概念であり、これが意味するのは、言語そのものが本質的に隠喩であるということであり、それは歴史形成的に事実としてそうであったであろうというばかりでなく、今日においても言語の創造的使用においてはこの本質的隠喩性がモノを言うのであるということである。言語は長年の使用によってすり減らされ劣化して貨幣のように流通するだけの意味に局限されていくのであるが、ひとはそうした言語であっても日常の伝達的使用とは異なる言語の側面を意図的であれ無意識的であれ「使用」するときには、日常の一元化された意味とはちがった側面を喚起する。そうした場面にひとはしばしば遭遇しているはずである。ただ、日常のコミュニケーションのレヴェルでは、そうした「使用」は間違った使用ということで看過されるか訂正されてしまうのがオチであるにすぎない。

言語の詩的使用という局面ではこうした価値の多元性が開かれていく。わたしの『言語隠喩論』は、言語の本質的隠喩性とそれによる新たな（言語的）世界の発見という問題を主として詩的言語において創造的に論じているものであって、詩論としてよりも本来は言語論として書かれたものであり、そのように読まれるべきなのである。言語的想像力に無頓着な（鈍感な）言語学者にはほとんど理解できないであろうという想定どおりその方面からはなんの反応もない。だからといって、日原正彦のように、言語隠喩論＝詩的言語論と短絡されてはこの本を書いた言語論的意味がほとんど失なわれてしまう。詩的言語論的な側面はおおいにあるのはもちろんだが、言語の本質的隠喩性の顕われがすぐれた詩においてより独創的かつ啓示的に示されるということを主張しているからである。安易に言い換えられて問題を矮小化されてはならないのである。

*

『橄欖』一二八号で日原正彦が、わたしが『イリプス IIIrd』2号の「言語隠喩論のたたかい——時評的に2」の2節で書いた日原批判(この節のここまでの部分を指す)に反論を書いている。問題にしたのは日原が『橄欖』一二六号で書いた安直な隠喩解釈でわたしの『言語隠喩論』を歪めて解釈していると思える「雑文」を書いていたからである。

この批判にたいして今回、日原正彦があらためて正面から『言語隠喩論』について一〇ページにわたる反論を書いてきたのである。今回の日原正彦の反論はすこしは生産性がある議論ができる中身をともなっているかと期待したが、前回同様の内容をさらに拡大しているだけのものでしかなかった。

日原は『言語隠喩論』にたいして《私は『言語隠喩論』を優れた「詩的言語論」として認めたい》と一定の評価をし、わたしの論が《詩言語だけではなく、そもそも言語そのものの本質が「隠喩」であるとしている》と基本的な問題提起にあることを了解している(ように見える)。それはわたしが執拗にくりかえして理解を求めようとしたポイントだから踏みはずしようがなかったからだろう。それでもその基本的観点すら理解しようとしないか理解できない詩人たちがまだいるのだから、これだけでも良しとするべきなのかもしれない。

しかし、ここにも一般の詩人たちの頭にこびりついている言語にたいする一知半解が臆面もなく披瀝されているだけであって、そこから漏れ出てくる無知や見当ちがいが最終的にはわたしの言語隠喩論的言語論にたいする根本的な誤解と反撥となってあらわれてくるのである。

だから日原がわたしの『言語隠喩論』について《優れた労作であると認め、敬意も表したい》と言っても、その前提に《言語の発生についての見解と、言語一般の本質が「隠喩」であるとする主張をのぞけば》という留保をつけているようでは、『言語隠喩論』のもっとも基本的な主張を共有できないことになっているのであって、先の「評価」はまったくの世辞にすぎないことがわかってしまうのである。そもそもわたしの言語隠喩論はヴィーコを参照してはいるが、日原が言うように単純に依拠しているわけではなく、これまでの言語学者はもちろんのこと哲学者でさえもだれひとりとして主張してこなかった言語の本質的隠喩性の根源を言語そのものの発生時点においてつきとめるという作業のなかで見出したものである。それをヴィーコはじめルソーからカッシーラー、ヴィトゲンシュタイン、ハイデガー、デリダにまでいたる哲学的思考をひとつひとつ確認しながら否定的媒介として書き進めていったものであって、それは日原も認めているとおりである。しかし、結局、理解しているふりをしただけだったのは以下の日原の論点が示すとおりである。

《私は、……「日常的伝達使用」こそが、言語の本来の発生根拠となったものであり、人類出現の太古から今日まで延々と貫いているその基層、いわば骨格を為しているものであると思いたい。

野沢は言語が長年の使用によって、貨幣のように流通するだけの意味に局限されていったと言うが、そんなことはないであろう。言語は「伝達」という基層の上に、様々な分化を遂げ、そしてそれが呪術的言語、神占言語、さらには詩的言語や芸術言語をも派生的に生みだしていったのである。したがってこと言語の発生に関する限り、彼の言っていることは逆転している。》

まったく書き写すのも恥ずかしくなるようなでたらめな文章である。言語の発生にかんしては最初から「日常的伝達使用」などが起こりえないことは歴史の示すとおりであって、それは一定の言語使用の人類的経験が累積されていくなかで現実のものになっていったことぐらいだれでもわかるだろう。そこからさまざまな言語が派生していくのでないことも必然である。日原の理屈こそが逆転しているのだ。《人類出現の太古から》そうだったと思いたければ思えばいいが、そんな珍説は誰も相手にしない。そもそも言語についての歴史をウィキペディアごときものから拝借するような知的怠慢は問題外ではないか。

もうひとつだけ言っておくことにすると、「書くこと」が意識的な作業であって、それ以外ではないと日原は思い込んでいる。もちろんわたしがそんなことを否定しているわけがなく、問題はそんなヘーゲル＝吉本隆明流の意識至上主義ではない、言語それ自体がもつ本質的隠喩性が書き手の意識の統御を超えていくところに詩の（詩ばかりではないが）ほんとうの可能性が開けるのであって、すべて意識が書くことを統御しているところにはその意識の了解できる範囲でしか言語的可能性は開かれないのである。ヘーゲルが言うように、《意識の知らないようなものは、意識にとってなんの意味ももたないし、なんの力ももちえない。》ところが意識の知らないような、言語の無意識的な創造性、本質的隠喩性こそが詩人の領分なのである。（このあたりの問題は現在、『季刊　未来』で連載中の「詩的原理論の再構築――萩原朔太郎と吉本隆明の所論を超えて」で本格的に論じているので、ここでは省略する。）

日原はことさらにわたしの論を矮小化しようとしてシュルレアリスム的な書法を引き合いに出してきてそれを論破しているように思わせているが、わたしの言語隠喩論の論点は書くことの脱意識的可能性を開き、それをたえず意識にフィードバックさせながら、可能なかぎり意識の統御をかわして言語それ自体がもつ可能性を引き出そうとするところにこそあるのだ。日原の言う意識とはごくあたりまえの書くことにむかう姿勢のようなものを言っているにすぎない。

＊

世の中にはおよそ批評という方法意識を欠きながら他人のすることにやたらと批判してみたがるひとがいる。アマゾンの読者批評などというものはまずその手の部類で、はたしてこんなものに目くじらを立てるのもいかがなものかといささか気が引けるが、ことがわが『言語隠喩論』への批判（無理解）であり、なかば意識的な中傷を含んでいるので、ここはいちおう反論しておかなければならない。だいぶ以前に掲載されたものだが、こういった無理解と批判（のつもり）がほかの詩人にもかなり一般化しているだろうところがあるので、わざわざ購入してくれてレヴューまで書いてくれたのに、やはりコメントしておくのが筋というものだと判断したのである。

このレヴューは「これは長編散文詩か」というタイトルが付されている。そもそもどうしてそんな解釈が出てくるのか不思議なのだが、以下の文面を見ればわかるように、このひとの理解能力の問題なので、これはいかんともしがたい。

このひとの購入動機は《小市民として詩をたしなみ、言葉にも興味があったので手に取った》そうである。そこは問題意識とそのレヴェルの問題だから、そこはいいとして、しかし、その理解たるや、このひとにはもともと言語についての興味もそこらの単純な言語論の解説がふさわしかったのではないか、と思わざるをえない。《詩はすべて隠喩らしいが、それが未知の創造的創出とかいうかなり次元の高い壮大なロマンになっている。》このひとには悪いが、そんな低次元なことをわたしは書いていない。つまらない詩など掃いて捨てるほどあるし、そんなものは詩の形をとった雑文にすぎず、そこに詩のことばがもちうる言語的本質としての隠喩の創造性などのかけらもない。残念ながら詩のすべては隠喩ではない。わたしが言いたいのは、詩がなににも頼らずに言語にたちむかうとき、そのことばがおのずとことばの隠喩的本質をもってしまうということである。なにかあらかじめ書きたいイメージがあって、それを換喩的に言い換えているだけのちょっとだけひねってみたつまらない詩ならいくらでもあり、そこにはなんの発見もないのだが、そうした小手先の方法意識からできているにすぎない詩をもちあげる解説屋もいるぐらいだから、そういうものに毒されているかぎり言語の創造的隠喩性などには及びもつかないのである。

だからとてつもない勘違いをしてわたしの詩意識が《かなり次元の高い壮大なロマンになっている》などととんちんかんなことを言ってしまうのである。

つぎに《およそ３００ページ中、哲学者の引用が半分を占め、……》とも言うが、これは真っ赤なうそである。たしかにいろいろ引用はしているが、すべてが哲学者のものではないし、言語学者や人類学者や精神分析家のものもあれば、詩人のものもある。しかもすべてあわせてもとうてい半分などにはならない。論脈上、必要な引用をしているだけで、地の文だけで自分の勝手な論と思われないように、またみずからもうっかり筆が滑らないように、自制的に引用しているのである。読者がちゃんとフォローできるように文献注もきちんと追加して、どこから引いたかわけのわからないような書きかたはしていないだけである。《それ〔引用のこと〕を反証しながら論が進むが、いつまでたっても周辺をぐるぐる回っているだけで途中から飽きる。》――飽きるのはご勝手だが、《いつまでたっても周辺をぐるぐる回っている》ように見えるのはこのひとだけ（でもないか?）でいろいろな隠喩にかんする言説を確認しながらどれにも満足できないから反証してつぎの課題に向かおうとしているのであって、《周辺をぐるぐる回っている》と思うのは、このひとが議論の水準についてくる気がないか、ついてこれないからである。うれしいことにじつに多くのひとがさまざまな感想文をそれこそ山のように書いてくれたり送ってくれたりしているが、こんな凡庸な意見はひとつもなく、論理のダイナミズムを認めてくれるひとが多い。もちろんこのひとのように思うかもしれないようなひとは意見を寄せてこないからでもあるが、るべきではないか。詩を書き言語に関心があるというのなら、もうすこしみずからの知のレヴェルを上げる努力をすべきではないか。

《どうやら著者はまとめる気はなかったらしい。》——わたしの『言語隠喩論』は言語の本質的隠喩性をこれまでだれも明らかにしてこなかったレヴェルで明らかにしたのであり、その本質的隠喩性が詩の言語においてとりわけ顕著に発現することをいくつも具体的な詩の例を挙げて論証しているのであって、このひとは何をもって《まとめる》などと教科書的な回答をもとめているのだろうか。そういう意味だったら、わたしはそんなレヴェルへの回答を試みるつもりなどまったくなかったと「白状」してもよい。

《言語論にあるような展開やスリリングさはなく、》とはどんな言語論のことを言っているつもりか。わたしが引用しているエミール・バンヴェニストやロマン・ヤコブソンといった言語学者、さらにはジャック・デリダやポール・リクールやエルンスト・カッシーラーなどの哲学的言語論以外に《展開やスリリングさ》のあるどんな言語学者がいるのか、教えてほしい。わたしの無知があれば、おおいに学んでさらなるこやしにしてみたい。

《後半には「言語的創造の問題は最終的には創造的な詩を書くことによってしか果たしえない…」云々「詩論を詩のように書くこと」などと書かれているので、本書は方法論ではなく、長編詩と捉えてもいいようだ。》このひとは詩と言語について考えるということが、とても簡単なことであるかのように錯覚しているのではないか。《詩論を詩のように書くこと》ということ自体が比喩であって、詩論を書くことだって詩を書くときのように試行錯誤を重ねながら手探りに論を進めていかざるをえない性質のものではないか、というわたしの提議がとんと理解できないだけなのだ。それもひとつの《方法論》なのであって、その比喩をよく理解してくれたひとは何人もいる。このひとは隠喩はおろか比喩全般にたいする理解ができないひとだと文面を読むかぎり判断せざるをえない。

最後になるが、《気になったのは詩界の衰退への批判がちらちら覗くが、そんな特権意識的なところに引っかかりを覚え、詩人の仲間内同士で読み合うような書だなと思った。》——このひとには現代詩の現状把握ができていないことの証左であって、そんな状況のなかでわたしがこの本を書いたのは《詩人の仲間内同士で読み合うような書》にはなりえないし、そのレヴェルを超えなければ、いつまでたっても詩の低迷状況さえ変えられないだろうという深い断念を孕んだものであることなど、このひとにはついに無縁であることを明らかに示している。《隠喩の勉強にはなるが、もう少し分かりやすく書いて欲しかった》とは教科書のように書け、と言っているにすぎない。努力しないひとには難解かもしれないが、ちゃんと読んでくれたひとからは明快だと言ってくれるひとがたくさんいて力づけられたぐらいだから、これ以上わかりやすく書くことなど、問題の性質上ありえないことなのである。

こうした無責任な言説について社会学者の吉見俊哉が警告を発している。

《今、私たちの社会で起きているネット社会の双方向化は、しばしば読書を平準化と即時化、視野狭窄に導きます。つまり、双方向性がすべてのユーザーに開かれているという幻想があり、それが時に匿名で本を一方的に裁断する動きを生むのです。たとえば、アマゾンのコメント欄には、読者が本の内容を理解しないまま、一方的に自分の考えで本の価値を断定する例が散見されます。[★9]》

まったく吉見の言うとおりであるが、そうは言っても、これに類する理解力あるいは拒否反応もあるだろうが、先入見を捨てて本書の真摯なる読み直しをしてほしい。すくなくとも、こんな単純なレヴェルでの読解にはならないはずだ。

4　世界の創造あるいはもうひとつのカテゴリー

こういうことを書いていると、現代詩の現状に不満ばかりをもっている人間と思われかねない。げんに鈴村和成は『図書新聞』二〇二一年十一月二十七日号の『言語隠喩論』書評の冒頭を《怒れる野沢啓氏に耳を傾けよう。彼はわが国の現代詩に散見される、無理解に怒りを発するのだ》と書きはじめているぐらいなのである。たしかに、論争や批判を好まない詩壇やその編集者たちからすれば、それでなくとも無事平穏な存続に汲々としているところへ暴力的な批評などが乱入してくるのは迷惑なのだろう。しかし生産的批評にたいしても耳を藉そうとしない（できない）

いる。

ことが詩の未来にどれだけの損失を与えることになるか、考えてみなければならないときにきている。

そうした結果のひとつとして有力な詩人たちでさえ、文章の読解力に大きな欠陥が出てきていることに気がつかなくなっている。或る詩人からの私信なので引用は控えるが、《隠喩であらざるをえない詩のことばが対峙し身分け＝言分けしていこうとする当の世界とはそれ自体がすでに巨大な隠喩なのである》（『言語隠喩論』六九頁）の後半をわざわざ引用したうえで、この「世界」の存在を自明化していて、残念であるという感想を伝えてきている。これなどもいったいどう読めばこんな感想が出てくるのか、わたしにはまったく見当もつかない。おそらく〈世界〉ということばが現実の世界のことを指していると勘違いしたのだろうとしか思えない。言うまでもなく、ここでわたしが言明している世界とは、詩のことばが模索しながら創造的につくりだそうとしている世界のことであり、現実の世界にこそ対峙しうるもうひとつの想像世界のことにほかならない。どうも〈巨大な隠喩〉ということばに惑わされたのかもしれないのだが、『言語隠喩論』をずっと読んでもらっていたら、わたしがこんな現実世界のことなど歯牙にもかけていない論を展開していることが読み取れるはずなのだが。詩人たちの読解力不足とわたしが懸念するのは、こうしたすこし厄介な文章をふだん読む習慣がなくなったことによって部分しか読めなくなってし

★9　吉見俊哉「出版社PR誌は何処へ」、『UP』二〇二二年十月号。

まい、物事を俯瞰的超越論的に読もうとする批評精神が失なわれてきている証拠ではないかと思うのである。さきの谷内修三の批評がそうであるように、批評する主体がみずからの批評そのものにたいして自己批評的な姿勢がとれていない。詩論にたいしては言うまでもなく、詩にたいしてもセンスや感性、感受性というレヴェルで解釈しようとすれば、同一平面でしか批評できない。詩を書くこともみずからのことばの繰り出しにたいして平面的にしか見えなくなっているから、その詩が何を意味しているのか、何をめざそうとしているのか、皆目わからなくなっている。まわりを見てもそういったレヴェルの詩が怪しげな評価を受けるものだから、妙に安心してしまって自己批評が発生しようもない。詩をささやかな商売に使おうとする詩人がいい加減な批評をまき散らして現代詩を汚染しているのが偽らざる現状だ。わたしのこういった発言を形而上学と言ってあざ笑おうとするひともいるが、みずからの保身のために建設的意見にフタをしようとするみずからの浅ましさに気がつかないふりをしているだけである。

さきの鈴村和成の書評はデリダやフランス文学に精通しているひとだけあって、そのあたりの理解にはゆるぎがないのはさすがである。そしてわたしの批評の方法についてこんなふうに書く――《批判が少なくない。普通なら索引で取り上げられれば好意と考えたいところだが、ここではそういうことは意外と起こらない。むしろ否定的に扱われる例が目につく》と。なるほど、世の中はそういうふうにできているのか。わたしは引用しても批判するために引用することが多いかもしれない。もちろんこの『言語隠喩論』ではこれまでの誰も試みたことのない探究をしていることを自負しているのだから、あたるをさいわい批判の対象にしてしまっている印象を与えるかもしれない。とは言っても、引用するには引用するに値するだけの根拠があるのであって、そのエキスを吸収できる範囲でできるだけ吸収して、それ以外を不満として否定していくというスタンスをとっているのである。前述したアリストテレスの比喩論（隠喩論）の評価などもそうしたものの一例だろう。

そういった批判精神はこの国ではなかなか受け入れられにくい。これまでもそういった反感や反撥を感じさせられることは多かった。『言語隠喩論』もそういった反応を引き起こしている可能性は十分にあることは承知している。共感を寄せてくれて長い感想を書いてくれる手紙など何人ものひとからももらっている反面、どうやらおそらく送っても読もうともせず古本屋に放り出しているだろうひとも感じられないわけではない。あらかじめ面倒な議論など避けているのか、それともなんらかの偏見をもっているのかは知らず、本というものはおのずからしかるべき知のネットワークを形成していくものであって、ひとの理解に過剰な期待をすべきではないことはこれまでもさんざん味わってきたことだ。

だが、そうしたなかで著者の想定を超えた読み込みをしてくれるひとはやはりいるものである。そのなかのひとりが石垣島の詩人、八重洋一郎である。八重はまず《詩とは詩人に襲いかかってきた危機に反応し絶対的に新しい言葉を創ることであり、言葉は既にあり余るほどあるが、そのあり余る言葉に満足できない者や状況がある。従って新しい言葉は既存の言葉のなんらかの組合せとなる。[★10]》と隠喩を独自に解釈し、西洋哲学史のなかでのアリストテレスからライプニッツ、カント、ハイデガーにいたるまでのさまざまな解釈格子（カテゴリー）について整理したあとで、『言語隠喩論』をさらなるもうひとつのカテゴリーの発見であるとして、《このカテゴリーの最大の特徴は「創造」であり、これを全力を挙げて主張している著者に深く感銘》（同前）と述べている。そうなのか、そこまでは想定していなかったが、たしかに、『言語隠喩論』は言語の本質的隠喩性を〈創造〉という概念と直結させることによってその究極的な意味をたぐり寄せることができるのかもしれない。

わたしは八重洋一郎を優れた詩人であると同時に日本でも有数の詩人哲学者であると評価している。日本の「辺境」にいるために中央詩壇などからは目に入りにくいのだろうが、その『詩学・解析ノート——わがユリイカ』などはコンパクトでありながら珠玉の詩論となっている。

「詩」とはいったい何なのであろうか。一言で言えば「詩とは詩であることによって一切が事実であることになるそのような言語である」。（中略）詩であればそれはその詩をつくった人の表出であるから表出という事実は否定できない。したがって詩として表出された言葉のつらなりは具体的に眼前に存在している事実であり、その事実に誰れがどのように関わろうとそれは自由、あるいは偶然として最大限に許容されなければならない。（中略）石ころが地面に転がってあるように詩もそこらあたりに転がってあるのだ。詩は詩そのものが「定義」

であり詩そのものが「もの」である。そしてその石ころ言葉が突然深い象徴性をおびることもあり得るということになる。[★11]

読んでもらえばわかるように、八重の文章はアフォリズムのようにシンプルで勁い。必要以上にカタカナことばをまぶしてハッタリをかませた文章とは格がちがう。かれは哲学科出身であり数学にもつよいからわたしなどとは方向性がちがうところがあるが、わが『言語隠喩論』がかれからこうした批評と理解を引き出したとすれば、それはかなりの手柄でもあろう。詩とはたしかにひとつの石ころであっていいのである。吉岡実の〈卵〉のイメージやパウル・ツェランの詩「あかるい石たち」[★12]がそうであるように、それは唯一無二のひとつの巨大な隠喩的世界なのである。

★10　八重洋一郎「創造と破壊の情熱」、『季刊 未来』二〇二一年秋号。
★11　八重洋一郎『詩学・解析ノート――わがユリイカ』澪標、二〇一二年、七七頁。
★12　『パウル・ツェラン詩文集』飯吉光夫編・訳、白水社、二〇一二年、六五ページ。

5　言語隠喩論の現在

本論冒頭で触れたように、ありがたいことに『言語隠喩論』が望外の反応を得てアマゾンや大書店でそれなりの動きを示している。最初からあてにしていなかったように、大新聞や詩の商業メディアなどが本書の書評や紹介をスルーしているにもかかわらず、小メディアや詩人たちの評価を得ていることは頼もしいかぎりである。本書につづく論の展開は大きくふたつの方向性をもっている。そのひとつは、本論もふくめて、『言語隠喩論』の探究の延長拡大の方向であり、もうひとつは、言語隠喩論にもとづく日本近現代詩のフィールドワークである。後者は、これまでに書かれたすぐれた詩のテクストの数々を言語隠喩論的方法で分析することで日本語詩の富をより深い作品解釈によって再発見する方向であり、日本語の達成点をさかのぼって理解するとともにそれを現代の日本語および詩のさらなる発展に寄与する方向性をもとうとするという意味で多少は学問的文学研究的な側面をもつかもしれないということである。それは近現代詩の通り一遍の解釈に別の一面を切り開くことができるかもしれない。もとよりわたしはそういった方面には野心などもたないが、むしろそれは『言語隠喩論』のなかでも必要に応じてさまざまな詩のテクストを引用し分析してきた結果として、言語隠喩論的理論構成の裏づけを得てきたという実感をともなうものであったからだ。理論は実践の裏づけがなければおのずから停滞し行き詰まってしまう。作品という書かれた実践から滋養を吸い上げてそれを理論構築のパワーに転化していくという相互作用が必要であることは、『言語隠喩論』執筆中にも痛感してきたことであったからである。論より証拠だというわけである。ましてや言語隠喩論の試みというのはほとんど誰も踏み込んだことのない領域である以上、こうした滋養の汲み上げというプロセスは避けられないからである。そしてなによりも、あらためて読みかえしてみるそれぞれの優れた作品をこうした観点から読み直すことのおもしろさ楽しさはなににも代えがたい喜びをわたしにもたらしてくれつつあるからである。すでに何人ものひとからこの試みを高く評価してもらっているのも大いなる力づけになってくれてもいる。この方面にかんしては系統立てて（詩史論的に）論じようとするつもりはなく、自分のなかの要請に応じて必然的に導かれるままに書きついでいくことになるだろうと思っている。それはあくまでも本論たるべき『言語隠喩論』続篇を力づよくバックアップするものとなるにちがいないと想定しているからである。その意味では蒲原有明と立原道造の詩について手はじめに書いてみた[★13]ところでの手応えを実感することができているのはとてもよい兆候だと感じているしだいである。やっぱり詩はおもしろいし、おもしろくなければいけないのである。

詩が言語でしかなく、言語は本質的に隠喩であるというわたしの主張がほんとうの意味で受け容れられたときに、現代詩および近現代詩研究はおおきな転換を迎えるだろうとわたしは自信を

★13　本書の第II部、第III部に収録された九篇の詩人論がさしあたりその最新成果である。

もって言うことができる。だからこの探究はひとつの権利請求なのである。無視したければ無視すればいい。ことばの本質はそこにあり、そこにこそしかないのだから、いずれ時間が解決するだろう。わたしはこの断言調が嫌われているから現代詩の世界にはそんなに期待していない。ただ、わかる人間は必ずどこかにいるし、また生まれてくるであろう。顰蹙を買うのを承知であえて言えば、ことばのウィルスはけっして滅びることはない。現代詩は滅ぶだろうという予言をしばしば目にするが、それは現今の詩的メディアが滅ぶだけであって、詩のウィルスは強靱である。ひとが生きるということはことばで生きることであり、もっと言えば、ことばが生きるのである。そして時流に乗っているだけのつまらないあぶくなど時間がきれいに片づけてくれるだろうから、なにもイキがって批判する必要ももはやないのである。――なんだか変なことを書いているようだが、これがいまの偽らざる心境であると言えば、どこかさきほどの坂口安吾調になってしまったかもしれない。

ともかく『言語隠喩論』を刊行でき、その後の展開を経由してきた現在、わたしの基本的方向は定まった。楽しみは今後もつづくのである。

II　近現代詩史のなかの詩人たち

蒲原有明のインパクト

詩を書くということは、ことばの切っ先を詩という形式によって世界へ向けて突き出すことである。このとき、このことばは誰に要請されるわけでもなく、みずからのことばの力によってやむにやまれず生み出されるというかたちをとる。使い古されたことばを既成の意味のまま、既成の文脈のなかで使われているかぎりにおいてはことばはなんの新味もないものであるが、ひとたびそうしたものを振り払い、詩人みずからの無意識のなかから必然的に喚起されてきたことばのイメージがこれまでのどこにもなかった世界を顕在化させるとき、それは本来的な意味での詩のもつ根源的な創造行為となるはずである。ことばはそもそもはじめて声に出され文字として書かれるとき、それは新しい世界を切り開こうとするものである。そこにことばの隠喩的本質がある。隠喩とはここでは使い古された技法のひとつとしてではなく、ことばというものが本来的にもっている本質的な意味での創造性のことを指していることは強調しておかなければならない。ハイデガーが《言葉そのものが本質的な意味で詩作である》と『森の道』で書いているのはそういうことである。
哲学とは詩とともに言語そのものについての専門的な領域である。詩は創作するのだが、哲学はそれを解釈し、概念として把握する。たとえばニーチェは「哲学者に関する著作のための準備草案」のなかで言語における概念の成立について考察をめぐらせている。

すべて語というものが概念になるのはどのようにしてであるかと言えば、それは、次のような過程を経ることによって、ただちにそうなるのである。つまり、語というものが、その発生をそれに負うているあの一回限りの徹頭徹尾個性的な原体験に対して、なにか記憶というようなものとして役立つべきだとされるのではなくて、無数の、多少とも類似した、つまり厳密に言えば決して同等ではないような、すなわちまったく不同の場合にも同時に当てはまるようなものでなければならないとされることによって、なのである。すべての概念は、等しからざるものを等置することによって、発生するのである。[★1]

すなわち、概念とは不同のものを多数ふくんだ意味の束として形成され、包括的な通約可能性として定着したものなのである。そしてここでいう《一回限りの徹頭徹尾個性的な原体験》こそ

★1 『ニーチェ全集3 哲学者の書』渡辺二郎訳、ちくま学芸文庫、一九九四年、三五二ページ。

詩作という行為に代表される創造的体験とその結果としての詩のテクストにほかならない。

さらにニーチェは言う。

動物に対して人間を際立たせているすべてのものは、直観的な隠喩をひとつの図式へと発散させ、したがって形象を概念へと解消するという、こうした能力に依存しているのである。

（同前三五五ページ）

形象（イメージ）を概念へと変換していくところに人間の言語という営為の本質があるというわけだが、逆に言えば、形象（イメージ）をことばとして切り開くところにすぐれて詩の営為があることになる。

言語隠喩論が切り開いてきた言語の本質的な創造的隠喩性とは未知の世界への切開力とも言えるものであるが、こうした原理論的視角は理論としてはここで初めて提起されるのである。ここからそれが実際に日本の近現代詩においていかなるかたちで実現しているのかを実証していくことがあらたに要請されてくる。これまでも『言語隠喩論』（二〇二一年）のなかで必要におうじて部分的に実践してきたことではあるのだが、日本近現代詩史というひとつの広大な視野のなかでの、内在性にもとづくことばのフィールドワークがあらためて要請されるのである。

＊

その意味では、最近の坪井秀人の『二十世紀日本語詩を思い出す』（思潮社、二〇二〇年）という仕事が文学研究者の仕事としては近来稀にみる成果であることは認めなければならないとしても、わたしにはこの本の評価とともに、それが詩の創造性にかんしてとくになにか新しい発見を生んでいるとは思えないという不満が一方にはあることを指摘しておかなければならない。

わたしはこの本についての『週刊読書人』の書評のなかでこう書いた。

二十世紀初年代すなわち明治三十年代前半に詩的キャリアをはじめた蒲原有明を論の最初においたところに本書の手柄の大きなウェイトがかかっている。北村透谷でも島崎藤村でも土井晩翠でもなく蒲原を発端におくことの意味こそ、坪井が「なぜ蒲原有明なのか。この〈なぜ〉を問うことが、ここで語るすべてのことがらの根幹であると思う」（三二頁）と力こぶを入れるように、なぜ本書が書かれたのかの理由である。（中略）坪井によれば、蒲原有明の詩の問題は「自然主義／象徴主義の間に宙吊りになった」（九四頁）ところにその詩作活動が短命に終わった理由があり、その点、十歳下の北原白秋がそうした「佶屈に佶屈を重ねた挙句に閉塞に陥っていった蒲原の隘路」を抜け出すことができたのは「〈翻訳語としての近代日本語〉という軛から放たれたところで詩歌をものすることが出来たからではないだろうか」

（一六六頁）とみなし、北原が当時の詩壇を巧みに牛耳り、勃興する近代世界にいちはやく憑依して、なおかつ新民謡や童謡の世界にメディアを拡大した時代の寵児となっていく姿を描き出す。すなわち有明から白秋へ、時代の転換とともに二十世紀日本語詩は運動するという一定の帰結を見出すのである。／詩史的見取り図としてはまさに坪井の言うとおりだが、わたしには有明にたいする評価がすこし低すぎる気がする。たしかに有明は世渡りが不器用であったし、いかにも古語っぽいことばを駆使して時代性に制約されたところがあったとはいえ、単純に詩としてみれば白秋の安上がりな近代性にもまさる詩の固有のボディを堅固にもっていた詩人ではないかと思う。そのことはとりあえず異論として出しておきたい。★2

これにたいする坪井のリプライはいまのところはない。『現代詩手帖』の坪井特集号（二〇二〇年十二月号）を見るかぎり、論者のだれひとりとして坪井のこの本の内包する問題を読めているようには思えないが、詩人としての立場からこそ個々の詩のテクストの内在的解読という理解がもとめられているはずである。このままでは有明から白秋へ、といった平板で教科書的な理解のもと、せっかくの蒲原有明という重要な詩人の価値を貶下することになってしまうのではないか、と懼れるのである。わたしとしてはこれを機に言語隠喩論の立場からこの論点を深めておきたい。

＊

蒲原有明と言えば、日本近代詩のなかで薄田泣菫とともに象徴派の詩人として通っている。これはフランス象徴主義との親近性という意味ではもっともらしいが、きわめて怪しい。そもそも本家のフランスにおいても象徴主義とはいかなるものか、正式の定義はない。ボードレールにはじまり、高踏派の何人かの詩人を通って、マラルメそしてヴァレリーにいたる詩人たちの総称として言われるものであって、それぞれの詩人ごとに大きく異なっているし、その代表的な詩人としてマラルメを挙げるのが正統的だとしても、それと泣菫や有明の詩とはまったく別である。日本語の詩としては一八八二年刊行の『新体詩抄』が近代詩のきっかけになったとはいえ、それはまだ詩人ならざる帝大の学者たちによるほんの手すさびのような試みにすぎなかったわけであり、島崎藤村、土井晩翠といった詩人たちの仕事にしても五七調、七五調にもとづく形式においての日本語の相対的新しさにすぎなかった。日本の象徴主義、自然主義とは、明治二十年代、三十年代前半になって、ヨーロッパとりわけフランスからいっせいになだれこんできた象徴主義、自然主義を無原則にとりこみ、それを当時の日本語という器に盛りつけてみせただけの思潮にすぎなかった。誤訳だらけとされる岩野泡鳴訳のアーサー・シモンズ『表象派の文学運動』（一九一三年、正しくは『象徴主義の文学運動』）あたりの当時の大きな影響力をもった文献で紹介された西洋文学事情をそっくりそのまま受け容れたうえでの象徴主義であり自然主義なのであった。そんななかで泣

★2　「日本近代詩の原点解明——坪井秀人『二十世紀日本語詩を思い出す』を読む」、『週刊読書人』二〇一〇年十一月二十七日号。

董と有明の詩は、従来の五七調、七五調のリズムとは異なるリズムを立てることではじめて日本語詩というものを既成の音数律の呪縛から解放したのであり、そのかぎりにおいて坪井秀人の〈二十世紀日本語詩〉という概念は有効であることは間違いないし、蒲原有明の詩を二十世紀詩の開始におくという切り口もおおいに賛同すべき点である。

しかしさきほども述べたように、有明の詩は白秋によって乗り超えられるようなものではなく、むしろ詩人としてはいろいろな時代的制約や個人的事情などの限界をもちながらも、言語的、美的、すなわち詩芸術的に白秋よりはるかに優れたものを残しているのではなかろうか。

その代表的なものとして詩集『春鳥集』（一九〇五年〔明治三十八年〕）のなかの「朝なり」という作品をまずは取り上げないわけにはいかない。

朝なり、やがて濁川（にごりかは）
ぬるくにほひて、夜の胞（え）を
ながすに似たり。しら壁に——
いちばの河岸（かし）の並み蔵の——
朝なり、湿める川の靄。

川の面（も）すでに融けて、しろく、

たゆたにゆらぐ壁のかげ、
あかりぬ、暗きみなぞこも。——
大川がよひさす潮の
ちからさかおすにごりみづ。

流るゝよ、ああ、瓜の皮、
核子（さなご）、塵わら。——さかみづき
いまふきむすか、靄はまた
をりをりふかき香をとざし、
消えては青く朽ちゆけり。

こは泥（ひぢ）ばめる橋ばしら
水ぎはほそり、こはふたり、——
花か、草びら、——歌女（うたひめ）の
あせしすがたや、きしきしと
わたれば嘆く橋の板。

（以下、四連省略）

この冒頭の〈朝なり〉、これこそこの作品の真骨頂である。まず、なにはともあれ、どういう朝かはわからないが朝の風景がさっと開ける。そして〈やがて濁川〉と畳みかけられると、その朝の風景が〈やがて〉という語とともに濁った川の風景をゆっくりと招き寄せてくる。ここにすでにこの詩のテクストが、そして有明が朝の濁った川を前にした詩人という心象をあざやかに展開していくのが見られるだろう。この一行が、四・三・五の歯切れのよいリズムをともなったことばの流れとして未知の世界を切り開き、予感させていくのが見られるだろう。詩のテクストがこの一行に牽引されてイメージを喚起しはじめるのである。わたしには〈朝なり、やがて濁川〉という冒頭の一行がことばの世界切開力としてこれまでの日本語の世界にはけっして見られなかった詩的想像力の自由な広がり、自在な展開可能性を与えたと思えるのである。

渋沢孝輔はこの詩の最初の一連を引用したあとで《歌い出しからしてすでに、思いがけない角度から読者の感覚をしっかりとつかんで、やがて一種の蕩揺感のうちに巻きこんでゆく。しかも次第に明けわたってゆく河岸の光景の一瞬一瞬の変化を、意識に映るままに時の経過のうちに微細に追ってゆく展開は、まさしく印象主義的手法と言うにふさわしいものだろう[★3]》と書いている。たしかに最初の一行の屹立のあと、この濁った川を〈夜の胞〉や〈瓜の皮〉、〈核子〉、〈塵わら〉、〈さかみづき〉といった生活臭と俗臭にまみれたさまざまな汚物が流れてくる。それはしかし、渋沢が言うように印象主義的と言ってもよいが、この時代の自然な風物が〈やがて濁川〉という呪文に引き出されるようにしてイメージの必然性として読み込まれたものだとも言えるのである。この詩が四・三・五、またときとして三・四・五のリズムによって軽快な動きを呼び起こしていることを見逃してはならない。最初の七音が四・三または三・四と分節されているだけではないかと反論することはできない。有明はすでに『獨絃哀歌』（一九〇三年〔明治三十六年〕）の段階で四・七・六調という《新しくもあり、奇妙に屈折して窮屈でもある詩律》〔同前六一頁〕を泣菫とともに世に問うているからである。この詩で言えば〈朝なり〉というリズミカルな階調、最初の四音、断言こそが日本近代詩において詩のことばがみずからの存在を誇示しうる隠喩的発見であったのである。

北川透がこの作品を《有明にとっても、わが国の近代詩にとっても、新しい萌芽を明瞭に印された記念碑的作品ということができる》[★4]と述べているのは、こうした新しいリズムによって切り開かれた風景の猥雑さが示す独特の時代感覚を指しているのだろう。

折口信夫も「詩語としての日本語」で「朝なり」に出会ったときのことについて《我々の心はある感情の籠つたとよみを挙げた、あの感動の記憶を失はないでゐる。たゞ一種の心うごき――楽しいとも不安なとも、何とも名状の出来ぬ動揺の起つたものであつた》[★5]と言及している。

★3　『蒲原有明論』中央公論社、一九八〇年、一六九頁。
★4　北川透『萩原朔太郎〈詩の原理〉論』筑摩書房、一九八七年、四三頁。

こうした詩のことばのインパクトこそをことばの隠喩的な世界切開力とわたしは呼ぶのである。

言語の個々の単語は、自然や表象世界の確定的な規定の表現であるよりはむしろ、規定する働きそのものの方向と指針との表現なのである。そこでは意識は感性的印象の総体に受動的に向かい合っているのではなく、それに浸透し、それをみずからの固有の内的生命によって満たすのだ。その内的な活動になんらかの仕方で関わるもの、その活動にとって「意味がある」とみえるものだけが、言語によって意味としての刻印を捺されるのである。★6

カッシーラーに従うならば、〈朝なり、やがて濁川〉こそが世界を《規定する働きそのものの方向と指針との表現》ということになり、世界を規定する表現となる。この決定的な言語選択を後年の自選『有明詩抄』★7では有明は例の改竄癖から〈朝なり、やがて川筋は〉と変更している。これではこの詩のことばの隠喩的世界切開力が一挙に失なわれて、なんとも平板な詩句になってしまったことがわかるだろう。

或るものについての思惟は、すべて同時に自己の意識でもあるのであって、そうでなければ、それは対象をもつこともできなくなってしまうであろう。私たちのすべての経験、すべての反省の根源には、したがって、直接的に自己自身を認知するひとつの存在が見いだされるのであって、その自己認知が直接的であるのは、この存在は己れ自身と他のすべての物との知として、己れ自身の存在を認識するのに、まるでそれが所与の一事実でもあるかのように顕彰に訴えたりするのではなく、まさに自分自身との或る直接的な接触によってそうするからである。自己意識とは、働いている精神の存在そのもののことだ。★8

有明は一九〇八年（明治四十一年）に『有明集』を刊行するが、この有明の最高の詩集にたいして、相馬御風をはじめとする早稲田系自然主義派のいわれなき批判の総攻撃を受ける。その程度の低さたるや論じるに値いしないものであるが、有明は体調を崩していたときでもあって、相当なダメージを受けてしまい、事実上の創作放棄ないしスランプに陥ってしまう。そうする必要もないのだが、みずからの過去作品の改竄につぐ改竄に手を付けていくのである。メルロ＝ポンテ

★5　『折口信夫全12　言語情調論・副詞表情の発生（言語論）』中央公論社、一九九六年、一三九頁。

★6　エルンスト・カッシーラー『シンボル形式の哲学（一）第一巻　言語』生松敬三・木田元訳、岩波文庫、一九八九年、四一六ページ。

★7　岩波文庫、一九二八年（昭和三年）刊。この蒲原有明自身の作品選択をもとに、そのオリジナル版で再編集したものが『蒲原有明詩抄』として未來社から二〇二一年に刊行されている。改竄前のテキストはこれで読むことができる。

★8　メルロ＝ポンティ『知覚の現象学2』竹内芳郎・木田元・宮本忠雄訳、みすず書房、一九七四年、二三五ページ。

ィの言う〈自己認知〉の直接性が失なわれていく過程に陥ったと言ってよい。御風はまだしも、いまとなっては名も知られていないような低俗凡庸な詩人の無理解など問題にする必要はなかったのに、である。いまも変わらない詩壇の風景といえばそれまでだが。

ついでにもうひとつ、この『有明集』のなかの最高傑作のひとつである「智慧の相者は我を見て」についてもふれておきたい。

智慧の相者(さうじや)は我を見て今日(けふ)し語らく、
汝(な)が眉目(まみ)ぞこは兆(さが)悪しく日雲(ひなぐも)る、
心弱くも人を戀ふおもひの空の
雲、疾風(はやち)、襲はぬさきに遁(のが)れよと。

噫(ああ)遁(のが)れよと、嫋(たを)やげる君がほとりを、
緑牧(みどりまき)、草野の原のうねりより
なほ柔かき黒髪の綰(わがね)の波を、——
こを如何(いか)に君は聞き判(わ)きたまふらむ。

眼をし閉(とづ)れば打續く沙(いさご)のはてを

黄昏(たそがれ)に頸垂(うなだ)れてゆくもののかげ、
飢ゑてさまよふ獣(けもの)かととがめたまはめ、

その影ぞ君を遁れてゆける身の
乾ける旅に一色(ひといろ)の物憂き姿、——
よしさらば、香(にほひ)の渦輪(うづわ)、彩(あや)の嵐に。

これについても渋沢孝輔はこの詩についてふれ、《理智分別は有明の特長でもあれば不断の悔いでもあり、それを振り切ってはばからぬほどの熱情は彼の強い憧れであったにちがいない。だが実際にはやみくもに情念の誘いに身を委せる無鉄砲さは所詮有明のものではなく、ここでも恋の勝利は多分に理念的、と言って悪ければ芸術的な形をとる。つまり、「香の渦輪、彩の嵐」とは官能の祭りであると同時に、いずれ『有明詩集』自序で「感覚の綜合整調」という言葉で定義されるはずの、彼の芸術の十全な開化の象徴、詩法の表明なのである》（渋沢前掲書二六六頁）とあざやかに分析している。この解釈はみごとなものだが、わたしはさらにこの詩の七五調・五七調交互形のリズムの豊かな響きをもつ音楽性とともに最後の〈香の渦輪、彩の嵐に〉の体言止めのみごとなフレージングに息をのむ。ここだけ五・七・七とリズムを変えているのもたんに一篇の締めくくりだからというのではなく、ことばが未知の世界へ分け入っていくその転調のダイナミズムをかかえこんでいるからである。おそらく有明はこのフレーズを〈智慧の相者〉の形象とともにセットで見出すことでこのすばらしい詩を書くことができたのである。〈香の渦輪、彩の嵐〉という意味不明だが、ことばとしては完璧な隠喩、つまりなにをも示さないことによって世界の不分明さを啓示することばの力の存在をおしえるのである。ふたたびカッシーラーを引けば、かれのつぎのことばはこのことを余すところなく語ってくれるのではなかろうか。

真の詩人の作品はあくまでも翻訳不可能である、――思想は再現できるかもしれないし、またうまくゆけばあちこちに等価的な表現を見いだすことはできるかもしれない。しかし、全体的表現、全体のもつ響きと調子とは、つねに独自の微妙で翻訳不可能な「謎の文字(ヒエログリフ)」である。(カッシーラー前掲書、一四五ページ)

つまり、これこそが詩の言語がもつ決定的な隠喩性なのである。

立原道造の詩のかたち

この夏（二〇二一年）にちょっとした用事があってひさしぶりに軽井沢で一泊した。そのさいに、結局は読めなかったけれども、『立原道造全集第一巻　詩集Ⅰ』[★1]を携行した。用事のついでに、ちょうどそれぞれ追分の別荘に滞在中のM氏と恩師の菅野昭正先生のところに、コロナ禍にもかかわらずおじゃまして、短時間ではあったが追分の気分を満喫させてもらった。とりわけM氏の別荘は堀辰雄にゆかりの深い油屋旅館（いまは記念館になっている）の崖上にあることもあって、いろいろ感慨深いものがあった。これまで追分のほうはあまりくわしくなかったが、旧軽井沢のような俗物ばかりが集まる場所とは異なり、『四季』のひとたちが好んだ古い軽井沢の土地感覚を味わえるような気がして、立原道造をあらためて読みかえす機会にもなろうといった軽いノリで携行したわけである。

★1　『立原道造全集　第一巻　詩集Ⅰ』角川書店、一九七一年。

クルマでの移動ばかりでゆっくり散策することもなかったとはいえ、軽井沢の北に位置する嬬恋村に宿をとってみたこともあって、それなりに浅間山なども間近に見物することもできたのは意外な収穫だったかもしれない。東京に帰ってさっそく立原を読みなおし、その詩のなかにこの古き良き軽井沢の風物が書きこまれているのをあらためて確認したわけである。今回はそうした機縁もあって立原の詩について言語隠喩論の立場から論じてみようかと思う。

1　ジャンルの創造力としてのソネット形式

さて、立原道造の詩を考えるとなると、この軽井沢に因んだ四季派グループとのかかわりとその抒情的なことばの運びとの関連を見ないわけにはいかないだろうが、いまは迂回する。それにしても一九一四年生まれで二十四歳八か月で夭折したこの詩人の存在はあまりに酷薄なものがある。一高在学中からの文筆活動をくわえてもたかだか数年の活動しかできなかった立原は、にもかかわらず、手紙もふくめて膨大な作品と資料を遺している。そこには伝記的興味もふくめていろいろな問題を抽出することもできるだろうが、いまのところわたしにはこの方面についてさほどの関心はない。むしろわたしにとって立原のいくつかの詩のテクストがもたらした不思議な感興について言語隠喩論的構造の側面から解明してみたいという思いのほうがはるかにつよいのである。

詩を書くことは、年齢にかかわりなく、そのひと固有の未知の世界をさらけ出す。すくなくとも若い詩人の場合では、既成の世界を安易に模倣しようとするのでさえなければ、当人の意識を超えてことばが自立した世界をつくりだしてしまう。もちろんそこに完成度や成熟した経験世界が見出されることはまだ期待できないとしても、ことばの力がその詩を書いたひとを〈詩人〉にしてしまうことが起こりうる。それが言語隠喩論的創造力と呼ぶものなのである。

そういうわけで、誰もが知っている立原道造の作品のひとつとして詩集『萱草に寄す』の巻頭に置かれた「はじめてのものに」をまずは取り上げてみよう。

ささやかな地異は　そのかたみに
灰を降らした　この村に　ひとしきり
灰はかなしい追憶のやうに　音立てて
樹木の梢に　家々の屋根に　降りしきつた

その夜　月は明かつたが　私はひとと
窓に凭れて語りあつた（その窓からは山の姿が見えた）
部屋の隅々に　峡谷のやうに　光と

よくひびく笑ひ聲が溢れてゐた
――人の心を知ることは……人の心とは……
私は　そのひとが蛾を追ふ手つきを　あれは蛾を
把へようとするのだらうか　何かいぶかしかつた

いかな日にみねに灰の煙の立ち初めたか
火の山の物語と……また幾夜さかは　果して夢に
その夜習つたエリーザベトの物語を織つた

（前掲立原道造全集第一巻一六―一七頁）

言うまでもなく立原が愛用したソネット形式で書かれていて、これは全十篇で構成されるこの最初の公刊詩集のなかの最初のグループ「SONATINE NO. 1」五篇のひとつである。そしてこの『萱草に寄す』はすべて四行―四行―三行―三行のソネット形式で書かれている。ところでソナチネとは小さなソナタという意味でソネットのことではないが、なぜかこのように命名されているのは、混同でないとしたら、この形式で小さなソナタのような作品を書こうとしたからだろうか。

ソネット形式で書くというのは、立原道造のような若いノンキャリアの詩人としては、まず形式面から詩の世界をつくっていくうえで或る意味では好都合な選択だったにちがいない。立原は東大建築科出身のエリート建築家でもあったからスタイルという面にかんしてはこの時代の誰よりも意識的であったはずである。ソネット形式はまずなによりも詩という内実を形成していくまえに、書かれるべきことばの位相をあらかじめ詩として封印してしまうという戦略的方法である。詩は書かれるまえから形式によってそのことばがおのずから詩のことばになるという前提のなかでなにものかの表現として設定される。この表現は書き手にとって未知の世界を言語的に創造するかぎりにおいてそれ自体が全体的な隠喩として実現される。形式こそが隠喩を準備する。短歌や俳句のことばがその形式をまとうことによってあらかじめそのことばが隠喩化されているのと同じことである。詩という形式がことばが生みだされるのにともなっておのずから形成されるのではなく、既成のスタイルとしてことばに先行するとき、ことばは日常の次元を離れて〈ジャンルの創造力〉とも言うべき形式の力を借りて詩としての自立性を獲得しやすい。もちろん、これはあくまでも可能性の問題であって、そのことばの本当の自立性を保証するものではない。

ここでは立原道造がその詩的キャリアを始めるにあたって、こうした〈ジャンルの創造力〉の力を借りたという事実だけは確認しておかなければならない。それは立原のことばがそれ自体で自立するだけの力がなかったことをかならずしも意味しないが、立原自身にはそうした自覚よりも形式への誘惑がまさったということであろうか。

そのかぎりでこの「はじめてのものに」とは意味深いタイトルだとも言えるだろう。何が〈はじめてのもの〉なのか、この詩を読むだけではわからないからであるが、立原にとってそれは〈詩〉そのものだったのかもしれないし、このソネット形式だったのかもしれない。これまでの習作時代の作品にくらべて、ここでは本格的に詩人として出発しようとする立原の意気込みがおのずからこうしたタイトルを呼びつけたとしても不思議はない。

それはともかくこの詩のテクストはレトリック的にも意味論的にも不明な箇所やおかしなところが目につく。順を追って見ていこう。

まず冒頭の〈ささやかな地異〉はおそらく当時の浅間山の小さな噴火かなにかだろうと思われるが、その降らした灰が〈音立てて〉梢や屋根に降りしきるとなれば、それはかなりの噴火だったにちがいない。ちなみに、記録によれば、この詩が書かれた一九三五年か一九三六年には少なからぬ物的被害をともなう浅間山の噴火があったことが知られている。もちろんこのイメージはあくまでも事実に即しているわけではないだろうから、そんな事実関係の詮索は必要ないと言えばそれまでだが、まずはこの詩のシチュエーションとしてこうした枠組みがつくられる必要があったということのほうが重要である。灰の降る〈この村〉がどうしても軽井沢追分でなければならない必要はないが、ともあれ二連目の〈窓からは山の姿が見え〉るという情景は近くに見える浅間山と追分の村の地理的関係を想定しても間違いはあるまい。ソネット形式という外的な形式のなかにまずはこの地理的な位置関係というもうひとつの内的形式が設定されたのである。

そしてこの第一連のなかに〈かなしい追憶のやうに〉という情調がさりげなく投入されていることが、すでにこの情景のなかに去ってしまった時間というモチーフが忍び込んでいることも見落とすことはできない。〈かなしい追憶〉という直喩はじつは詩のどこにも根底をもっていないから、必然的にこの直喩は詩の外部からこの詩にもちこまれたものであって、この詩に悲歌のトーンを与えてしまうことになる。このあたり詩の技法としては稚拙だというしかないが、これも青春特有の気分の反映とみなすことも可能だ。軽井沢という土地の旅宿での若い男女の同席という場面が想定されている以上、こうした情感が紛れこむのもわからないわけではない。

　こうしてみると、第二連での宿での男女の語りあいで〈光と／よくひびく笑ひ聲が溢れてゐた〉のはゆえないことではない。ここでは〈窓に凭れて語りあつた〉〈ひと〉とはあきらかに若い女性であることは間違いない。そして〈部屋の隅々に〉に光や笑い声が響いているのだが、この笑い声にたいして〈私〉の意識はどこか間遠な対応をしているのが感じられる。光や笑い声が〈峡谷のやうに〉というこれまた唐突な直喩が導入されることによってこの懸隔感は増幅させられるのである。この心ここにあらずの懸隔感のうちにこそ〈私〉の恋慕の感情が隠されていることを見るのはたやすい。

　だからこそ第三連一行目の〈――人の心を知ることは……人の心とは……〉という断片化されたフレーズがどこにも行き着くことができないのは当然なのだ。〈私〉は相手との語りあいのなかでもおそらく気もそぞろの状態でこのひとの心のなかを探りつづけていたのだろう。人の心を知ることのできないもどかしさ、焦りのようなものがこうした断片化されたことばを生んでいるのだ。逆に言えば、わたしの言語隠喩論の見方からすれば、立原がこの詩を書くことができたのは、〈ささやかな地異〉に始まる額縁のなかで、思うにまかせない自分のこころをこの〈――人の心を知ることは……人の心とは……〉という不安と逡巡のないまざった一行の発見によってはじめて明確なことばのかたちをとったからではないか、というのがわたしの見立てである。この曖昧な、不断に揺れ動く心情を表出した一行こそ、じつは詩人の思いを逆説的に正確に反映した一行なのだ。この連の二行目と三行目が〈私は　そのひとが蛾を追ふ手つきを　あれは蛾を／把へようとするのだらうか　何かいぶかしかつた〉というやや破調の文脈になっていることにも心の動揺は表われているとみてよいが、この蛾を追うしぐさについてはひとつの重要な証言がある。山根治枝という女性が「信濃追分の立原さん」という回顧文を書いていて、そのなかにこの蛾を追うシーンが出てくる。ちなみにこの宿が四季派の常宿であった油屋旅館であること、その入口の土間でこの女性が立原と初めて会ったことがこの文章に出てくる。

　……真中の小さな机の上に、当時の手廻し式のポータブルプレヤーが、ポツンと一つ置かれてあり、向って左の窓辺に、立原さんが浴衣の膝を抱えて、あの独特の仔鹿の眼をして、私の方を見つめている。／まるで珍しい生き物でも見るような、好奇心に溢れた眼である。

　……「未完成交響曲」は静かに流れて、おりから中空に昇ろうとしている月の光りと相俟って、まことにロマンティックな雰囲気だったにもかかわらず、白い粉をまき散らしつつ、電灯の廻りをグルグル廻っている蛾が、私の側に飛んで来るたびに、手で払いのけるのに忙しく、せっかくの美しい曲も上の空であった。……／Tさんが気をきかせて、電気のスイッチを切ってくれた。その時、誰かがTさんに用事があるとのことで、彼は階下へ行ってしまった。／二人っきりで取残されたその数分の、何んと長く感じられたことか。／流れていた曲は、いつか止まっていた。……／しかし一向に彼は動かないのである。レコードはジイジイ空廻りをつづけ、窓から流れ入る月光は、時折り思い出したように舞い始める蛾の影を照らしつづけている。／たまりかねた私は、スイッチをひねり、レコードを裏返し、要するに彼のやるべき仕事を全部終えて、レコードがまた廻り始め、やれやれといった思いで彼の方を眺めると、驚いたことに、依然として立原さんは膝を抱え込み、上眼づかいに私の手元と顔とを、交互にまじまじと見つめていたのである。

（同前、月報）

まことに興味深い卓越した文章だが、この文章を引用した郷原宏『立原道造――抒情の逆説』も言うように、ここには《筆者はおそらく気づいていないが、その視線には、多分にエロティックな意味が含まれていたにちがいない》[★2]と思うが、もしかしたらそれ以上の意味があったかもしれ

★2　郷原宏『[新版] 立原道造――抒情の逆説』未來社、二〇二二年、一二九頁。この本の元版は花神社、一九八〇年。

れない。ひとつには立原のほうに初めて会ったこの女性へのかすかな恋心か憧れが秘められていたはずであること、そしてこの女性の筆致にも（ずっと後年の回顧であるとはいえ）じつはそのことに深く気づいていながら気づいていないフリをする女性ならではのコケティッシュな狡知が働いていたかもしれない。《まことにロマンティックな雰囲気だった》とみなされるような雰囲気がそこには最初からあった。それにこのシチュエーションはTさんと立原のあいだで仕組まれた、ふたりだけにするための場面かもしれないのである。もっともこれは年寄りの冷や水のような解釈で青春とは案外こんなウブな心ばえでたんにことをすませているものかもしれないのだが。

ともあれ、このエピソードを立原がこの作品に盛り込んだことは間違いないだろう。こうして解釈を重ねてみると、この詩はじつはここで終わっていてもいいはずである。第四連はソネット形式の平仄を整えるためのいわば付け足しであって、〈エリーザベトの物語〉というのがシュトルムの小説のヒロインの名前であることなどは、この蛾を追う女とのエピソードの先にほとんど夢想でしかないかたちで未発の愛の想念が行き着くべきところだったにすぎないのである。こうしてみると、〈はじめてのもの〉とははじめての〈恋愛〉というなかば抽象化された妄念だったのかもしれない。

くりかえすが、まだ二十歳をすぎたばかりの立原道造が心を寄せようとする若い女性の蛾を追う手つきを〈あれは蛾を／把へようとするのだらうか　何かいぶかしかつた〉と表出したとき、〈いぶかしかつた〉のは女の行為ではなく、みずからが〈——人の心を知ることは……人の心とは……〉と喘ぐように自問する自身の姿だったのではないか。その意味でこのフレーズが立原の脳裡に浮かんだとき、この詩は一瞬のうちに成立したと言ってもいい。このときこの自問のことばとは自身のエロスの隠喩以外のなにものでもなかったことが知れるのである。

2　意志としての詩

「はじめてのものに」は『四季』の昭和十年十一月号に掲載されたが、そのちょうど一年後の昭和十一年十一月号に発表された「のちのおもひに」はずっと完成度の高い詩である。

夢はいつもかへつて行つた　山の麓のさびしい村に
水引草に風が立ち
草ひばりのうたひやまない
しづまりかへつた午さがりの林道を

うららかに青い空には陽がてり　火山は眠つてゐた
——そして私は

見てきたものを　島々を　波を　岬を　日光月光を
だれもきいてゐないと知りながら　語りつづけた……

夢は　そのさきには　もうゆかない
なにもかも　忘れ果てようとおもひ
忘れつくしたことさへ　忘れてしまつたときには

夢は　真冬の追憶のうちに凍るであらう
そして　それは戸をあけて　寂寥のなかに
星くづにてらされた道を過ぎ去るであらう

（立原道造全集第一巻二四―二五頁）

ここでも追分とみられる〈山の麓のさびしい村〉が出てくるが、この詩の主語は〈夢〉である。しかもその〈夢〉は村に〈いつもかへつて行つた〉のであり、〈そのさきには　もうゆかない〉のであり、そして〈真冬の追憶のうちに凍るであらう〉とされてしまうのである。この〈夢〉とは何なのか。このさびしさとはどういうものか。たしかにこの詩を書いてから二年ちょっとで立原は死んでしまうのであり、その予感のようなものは病弱な詩人としてはたえずあったのであろう。しかし、それにしてもこの〈夢〉の挫折はやや異常である。郷原宏は立原道造について《愛されることの多いわりに、理解されることの少ない詩人である。人々は詩人を理解するまえにその詩を愛し、その詩を理解しないうちに詩人と訣別する》(郷原前掲書六頁)と名言を吐いているが、立原道造の詩は若いときに読むと青春の情念に圧倒的に訴えかけてくるものがあり、ひとはえてしてそこから年齢を重ねることによって脱却し、みずからの成長の証しとして立原的な抒情を軽視するようになりがちなのである。いわば若いときの過ちとして立原道造を卒業したように錯覚するのである。ただ立原道造の詩は心のどこかに執拗に貼りついてくるところがあり、それをなんとか逃れようとすると、否定的な評価になりがちという宿命を負っているところもある。たとえば抒情性の質として郷原宏と同様のものをもっていると思える大岡信にしてさえも、そうなってしまうのである。

立原の観念的夢想の敗北は、すべて予見されていたはずだといえばいえるだろう。肉体の限界にぶつかったとき同時に破れさった夢想や希望は、はじめから何ほどのこともなかったのだといえばいえるだろう。だが立原が短かった生涯であれ、その生涯を観念的夢想にささげた事実は厳然とそこにある。死という事実はすべての憶測を超えてきびしい。しかしここで、あえて言うなら、かれの敗北は、かれが常に「どこへ」あるいは「なぜ」という形でしか観念を形象化できなかったことにその根本的原因がある。かれが人工の世界を夢みたのも、

「どこへ」という問いにせきたてられたからであったが、死をかけてまで築こうとした人工の世界を土台からつきくずしたのもこの問いだった。かれの世界は、だから常に流れさり、ほろんでゆくものの住む世界だった。それは本質的に過去の世界、物語の世界だった。[★3]

この大岡信の立原道造論は『ユリイカ』一九五七年五月号に発表されている。このとき大岡はまだ二十七歳で、戦闘的な鮎川信夫論なども書いていた時期であり、舌鋒は鋭かった。その大岡でさえ、この評論の冒頭に《立原道造の詩に遭遇したことは、ぼくの詩的感受性の形成にとってかなり重要な事件だったように思う。ぼくはそのとき十六歳だったが、かれの詩の舌たらずな甘さが、十六歳の少年の精神によびさました一種の抵抗感と、その抵抗感にあらがって誘惑的によびかける複雑な言葉のリズムとは、かなり長いあいだぼくを悩ました》(同前二二二頁)と告白し、立原の詩の世界が新古今的なものだったので十六歳の精神にはなじみにくかったとしている。もっとも、おもしろいことに、大岡は一九七一年に発表した別の文章でこの意見についてやや反省的な意見を書いている。――《私がはじめて立原道造論を書いたのは昭和三十二年で、その時私は、ほぼ立原が亡くなったのと同じ年齢であった。愛読し影響も受けた詩人に対しては、私はことさらにきびしい意見を書く傾きがあった。立原論も例外ではなかったと思う。私は、立原のように夭折しないとすればどうしたらいいのかについて、少々いらいらしながら考えざるをえなかったのではないかと思う。[★4]》

郷原宏もまたその立原論の冒頭で《人と詩との出会いには、どこか交通事故に似たところがある。それはある日突然にやってきてわれわれの魂に衝突し、その後の詩と人生に決定的な影響を与える。その影響のはげしさにくらべれば、いわゆる人生経験や知識は物の数ではない。／私と立原道造の出会いは、まさにそのようなものであった》（郷原前掲書五頁）と書いている。これを書いているとき郷原も三十五歳すぎぐらいだった。

わたしにもこれらの経験はよく理解できるところがある。機会があれば、やはりこうした理解にもとづいて立原にたいしてそれなりに厳しい批判的言辞を弄しただろうと思うが、いまはすこしちがってきている。二十四歳で早世した立原道造は当然ながら詩人としての成熟というチャンスは得られなかったわけであり、にもかかわらず、ひとりの詩人として愛されつづけてきているのにはどこか決定的な必然があるはずなのである。

たとえばこの「のちのおもひに」という詩について郷原宏はつぎのような評価を下している。

これは立原の生涯を通じての代表作であるばかりでなく、日本の抒情詩の最高傑作であるといってよいと思う。青春の故のない寂寥感をこれほど見事に定着した詩は他に例がない。そ

★3　大岡信「立原道造論　さまよいと決意」、『詩人の設計図』所収。『現代詩詩論／詩人の設計図』講談社学術文庫、二〇一七年、二三七―二三八頁。
★4　大岡信「立原道造を想う」『言葉の出現』晶文社、一九七一年、一一七頁。

して立原以後四十年に及ぶ現代詩史は、まだこれを超える作品を生み出してはいない。（同前一三一頁）

まことに的を射た解釈である。その後の時間をくわえると、この詩が書かれてから八十五年になってもこの評言は変更の余地がないほどである。しかし、わたしはなぜこの作品が《日本の抒情詩の最高傑作である》のか、その理由を知りたいと願わざるをえない。そしてこの詩の第二連の〈――そして私は／見てきたものを　島々を　波を　岬を　日光月光を／だれもきいてゐないと知りながら　語りつづけた……〉という箇所にその秘密を見たいと思う。とりわけ〈だれもきいてゐないと知りながら　語りつづけた……〉のフレーズこそ、立原がこの詩を駆動させる決定的な原点であったのではないか。すくなくともわたしの言語隠喩論の立場からはそう見えるのである。なぜか。立原がそれまで東京を離れていろいろな場所を彷徨してきたことが知られているとおりであるとすれば、そこで〈見てきたもの〉――島々、波、岬、日光月光――について語ろうとしても、おそらく誰もそれほど興味をもってくれるはずはなく、だからこそ〈だれもきいてゐないと知りながら　語りつづけ〉るしかないことを立原は最初からわかっていたはずである。ひとは他人の細かい来歴やその見たもの聞いたことなどには関心をもたない。そういうありきたりな現実を若き立原がどこまで理解していたかはともかく、その鋭い直観が他者という存在との懸隔感をとらえないはずはない。しかし、にもかかわらず、立原はその懸隔感をこそ書かずにいられなかった。それが〈だれもきいてゐないと知りながら　語りつづけた……〉という絶望感、存在の耐えられないさびしさだったのではないか。この一行を書くためにこの夢の挫折の詩はあったのではないか。だからこそこの挫折のあと、〈夢は　そのさきには　もうゆかない〉のである。いや、その先にはもういくことができなかった。

そして「はじめてのものに」のポイントが〈――人の心を知ることは……人の心とは……〉にあったというわたしの見立てが正しいとすれば、この「のちのおもひに」のなかの〈――そして私は〉で始まる決定的な三行はいずれも「――」で先導されていることにあらためて注意を払ってよい。つまり立原の詩にあってはどうしても言わずにいられないキーワードを発したいときに思わず使われた技巧なのではないかと思うのである。

立原道造の詩が《日本の抒情詩の最高傑作である》としても、こうした絶望感とさびしさの表明であることに変りはない。郷原が言うように、《彼がせめてあと十年生きていたら、日本の抒情詩はもう少し違ったものになっていたかもしれない。しかし、彼の詩は彼の死によって完結し、われわれの詩は彼の詩が完結したところからはじまっているので、現代における抒情の意味をたずねるためには、われわれは繰りかえしそこへ立ち戻らなければならないのである》（同前一三四―一三五頁）という深い嘆きはおおいに共有できるけれども、そこに立原道造の詩の限界をもまた見ておかなければならないのも事実である。それが立原道造の詩の最終的なかたちだったとも言えるからである。

言語学者のエミール・バンヴェニストは言語のかたちについてこんなふうに言っている。

その〔思考の〕内容は、言い表わされたとき、そしてそのときはじめて、かたちを得るのである。それは言語から、そして言語において、かたちを得るのであって、言語こそ、可能なあらゆる表現の鋳型なのである。それは言語から離れることができないし、言語を超越することもできない。★5

立原道造がこれらの詩を書いたとき、その言語は書かれることによっておのずから抒情詩というかたちをなした。そしてそこに軽井沢追分と思われる風土とそこに存在した自身の姿がおのずから投影されたひとつの世界があらわれたのだが、それこそ立原自身の言語的営為がもたらした世界で唯一無二の隠喩的世界なのである。言うまでもなく、この独自の世界は立原の言語がみずからの意志で構築したものである。言い換えれば、言語の無意識が立原という存在を貫いたときにこれらの抒情詩の傑作が生まれたのである。

現代の理論派詩人、八重洋一郎はこう断言する。

詩は表現されたという事実以外にはいかなる客観性もいかなる確実性も持つことはできない。しかしこの無根拠性、真偽不決定性、不確実性こそが詩の自由を保証し、その自由にこそ詩の純粋性がひそんでいるのだ。自由とはいかなる決定からも逃れていることであり、純粋とは書くことの徹底的な責任感覚のことだ。つまり詩は言葉の自動的自己完結性によって書かれることは一切なく、すべては詩人の意志と言語感覚のみに負っているのだ。★6

この厳しい言語認識が若き立原にどこまであったかはわからない。しかし、みずからの存在論的さびしさの根源がどこにあったにせよ、そしてそれが後世にどう解釈されることになるかも知ったうえで、立原道造の詩がみずからの意志と責任において自由と純粋さを獲得し自立しえたのだとすれば、われわれは立原の短い生涯の無念とともに、その詩の根源的なありかたをそのまま承認するしかないのである。

★5　エミール・バンヴェニスト『一般言語学の諸問題』岸本通夫監訳、みすず書房、一九八三年、七一ページ。訳文に一部加筆した。
★6　八重洋一郎『詩学・解析ノート——わがユリイカ』澪標、二〇一二年、八一頁。

宮澤賢治、慟哭のレトリック

　およそ人間の感情というものには、それが深ければ深いほど、言い表わすべきことばが追いつかないという経験が稀にだが、起こる。通常ならば、そういう感情は、これまでの経験則からなんらかの観念的図式（感動、納得、怒り、悔恨、不安、恐怖等）に収まってしまうのだが、こうした既成の観念処理ではとうてい収まらない思いがこみ上げ、思わず慟哭してしまってどうにもならないということが起こりうる。こうした特別な強い感情は既成のことばでは適切にかつ十分に言い表わすことができない。ほんとうの思いとはありふれたことばにならないものなのだ。ひとは年齢とともにさまざまな経験を蓄積し、また感情の振幅もおのずと小さくなっていくので、こういう修羅場が生じることはなくなっていく。どんなことにも驚かなくなってしまい、ちょっとやそっとでは感情に左右されることが少なくなっていく。そうした感情を言語化する必要があるような場面もそうざらにあるわけでもなく、一時の感情の亢奮に終わってしまうのが普通だろう。

しかし、ときにそうした一般的な枠組みに収まることができない場合がある。そうした思いや感情をなんとかことばで表現したい、表現せずにはいられない、という事態である。その場合、書くということは思念を集中させるという側面があるので、そうした感情を沈静化するのではなく、むしろそれを思いきり拡大深化させ放出する方向で発動する。心情を思うがままにことばに変換していくというのは或る意味で素朴なロマン主義であり、そんなものがほんとうにあるのかはともかく心の内なる感情、感覚、了解を外部に表出すること、〈表－現〉（英語やフランス語の表記では〈ex-pression〉）とはもともとそういう内なるものを〈外化〉する、外部に押し出すという意味をもっていることは表現論の出発点（起源）であるが、一見そう見えるとしても、書き出されたものはかならずしもそうした単純なものではないこともしばしば起こることである。

あらかじめ〈表現〉されるべきことがあって、それが言語化されたものが〈表現〉なのではなく、なにはともあれ〈表現〉があって、それが〈作品〉として提出されることによって、その内実がはじめて〈表現〉として認知される、という逆転がある。それ以前には漠然とした気分のようなものしかなく、書かれることによってはじめて内実化されるべきものが出現する。それがことばの創造の原理であり、とりわけ詩のことばとはそういうものである、というのがわたしの言語隠喩論的立場である。

ひとはしばしばわたしのこうした詩的言語の特性の強調にたいして、詩を特権化していると批判したがる傾向がある。わたしは詩のことばが言語の本質にもっとも近い位置にあることを指摘しているだけであって、その本質を詩人が詩の創造に実現しうるかどうかは別の問題である。詩のことばが伝達と実用のレヴェルにないことは、詩的言語の創造がより困難な位相にあることを示唆しているのであって、ことばへの意識の低い凡庸な詩人が思いつきでことばを操ったつもりでも、結果が惨憺たるものになろうことは最初から目に見えている。

今回はそうしたレヴェルとは根本的に異なるサンプルのひとつとして宮澤賢治の「永訣の朝」その他、妹トシの死をめぐって書かれた一連の追悼詩篇(挽歌)を言語隠喩論的な視点から検討してみたい。

1 〈トシ挽歌〉とは何か

宮澤賢治の妹トシへの挽歌群についてはは以前からその言語構造にたいして細緻な解釈を必要とするという考えがあって準備していたものであるが、たまたま最近とどいた『イリプス IInd』37号に中塚鞠子がその連載「シリーズ妹の力」[★1]でこのトシ挽歌を取り上げていて、先を越されてしまった感があるのだが、どうやらアプローチの方法には大きな違いがありそうなので、この偶然をおおいに活用させてもらうことにしよう。

宮澤賢治の詩集『春と修羅』(一九二四年初版)には「無声慟哭」と「オホーツク挽歌」としてそ

れぞれ五篇の〈トシ挽歌〉と称される詩篇が収録されている。そのうち「無声慟哭」の最初の三篇はトシの死んだその日のうちに書かれているが、それ以外の七篇は半年以上の中断のあとに書かれている。この中断それ自体が詩作の中断でもあり深い意味をもつが、その問題はあとまわしにしよう。

それらの挽歌のはじめに置かれているのが「永訣の朝」である。まずその前半部を引く——

けふのうちに
とほくへいつてしまふわたくしのいもうとよ
みぞれがふつておもてはへんにあかるいのだ
（あめゆじゆとてちてけんじや）
うすあかくいつさう陰惨(いんざん)な雲から
みぞれはびちよびちよふつてくる
（あめゆじゆとてちてけんじや）

★1　中塚鞠子「ともに四次元空間へ——シリーズ妹の力②宮澤賢治の妹　トシ（とし子）」、『イリプスIInd』37号、二〇二二年七月。ちなみに中塚には『「我を生まし足乳根(たらちね)の母」物語——近代文学者を生んだ母たち』（深夜叢書社、二〇二〇年）という文学者の母の力を論じた好著があり、「妹の力」という柳田國男的視点からの今後の連載もおおいに期待できる。

青い蓴菜のもやうのついた
これらふたつのかけた陶椀に
おまへがたべるあめゆきをとらうとして
わたくしはまがつたてつぽうだまのやうに
このくらいみぞれのなかに飛びだした
　（あめゆじゆとてちてけんじや）
蒼鉛いろの暗い雲から
みぞれはびちよびちよ沈んでくる
ああとし子
死ぬといふいまごろになつて
わたくしをいつしやうあかるくするために
こんなさつぱりした雪のひとわんを
おまへはわたくしにたのんだのだ
ありがたうわたくしのけなげないもうとよ
わたくしもまつすぐにすすんでいくから
　（あめゆじゆとてちてけんじや）
はげしいはげしい熱やあえぎのあひだから

おまへはわたくしにたのんだのだ
銀河や太陽　気圏などとよばれたせかいの
そらからおちた雪のさいごのひとわんを……★2

これは全五六行のうちの前半二七行分である。見ればわかるように、ここにはとびとびで妹のことばが三字下げの丸括弧付きで引用されている。〈あめゆじゆとてちてけんじや〉とは「あめゆきとつてきてください」という意味の岩手弁である。このことばが四度にわたって効果的に使われている。このほかには後半で〈うまれでくるたて／こんどはことにわりやのごとばかりで／くるしまなあよにうまれてくる〉（『全集第二巻』一三八頁）ということばがやはり三字下げ丸括弧付き三行分かち書きで引用されているところがあり、さらには字下げなし丸括弧付きで〈(Ora Orade Shitori egumo)〉（同前）が独立した一行として引かれている。それぞれの意味は〈またひとにうまれてくるときは／こんなにじぶんのことばかりで／くるしまないやうにうまれてきます〉〈あたしはあたしでひとりいきます〉と賢治自身の原注が付されている。同じような妹のことばと見られる引用は三篇目の「無声慟哭」のなかでやはり三字下げ丸括弧付きで二度、引用されている。〈おら　おかないふうしてらべ〉（同前一四一頁）〈それでもからだくさえがべ？〉（同前一四二

★2　『校本　宮澤賢治全集　第二巻』筑摩書房、一九七三年、一三六―一三七頁。以下、この巻からの引用は『全集第二巻』と表記する。

頁）がそれで、意味としてはやはり〈あたしこわいふうをしてるでせう〉〈それでもわるいにほひでせう〉と原注が付いている。

この手法は「噴火湾（ノクターン）」という「オホーツク挽歌」詩篇の詩のひとつでも使われているが、わたしにはとりわけ「永訣の朝」での〈あめゆじゆとてちてけんじや〉の四度にわたる引用が圧倒的に印象深い。なぜならこれは賢治のことばの流れを断ち切るようにして繰り返し引用されるからである。まずはこのことに目をとめておきたい。

賢治の妹トシ（詩のなかではなぜかいつも「とし子」となっている）が結核で死んだのは一九二二年十一月二十七日である。このとき賢治は満二六歳、トシは二四歳だった。そしてトシ挽歌のうち最初の三篇、すなわち「永訣の朝」「松の針」「無声慟哭」は亡くなるその日のうちに書かれたとされている。実際はどうあれ、たしかにこれら三篇の詩を読むとそうした慟哭をふまえて書かれたにちがいないという迫力がある。とりわけ「永訣の朝」はトシのきれぎれの声が賢治の悲しみを増幅させるように挿入されていて効果的である。そしてもうひとつ特徴的なのはこれらの詩にはひらがなが多用されていることである。おそらく賢治はほとばしる情念の動きをひたすら書きとめるようにしてこれらの詩を書き急いだにちがいない。とりわけ「永訣の朝」にわたしはそれを強く感じる。そしてこの表記はその後の詩集『春と修羅』収録のさいにも添削されていない。もはや修正することもできないほどに完成されてしまっていると賢治は感じていたのであろう。この詩がトシ挽歌の最初に置かれているのは、それが最初に書かれた一篇だからだろうと推測するに十分な根拠はここにもある。二番目の「松の針」の冒頭は〈さつきのみぞれをとつてきた／あのきれいな松のえだだよ〉(同前一三九頁) となっていて、前の「永訣の朝」での雨雪をとってくる行為を前提にしているし、うしろのほうには〈ほんたうにおまへはひとりでいかうとするか／わたくしにいつしよに行けとたのんでくれ／泣いてわたくしにさう言つてくれ〉(同前一四〇頁) とあって、これも〈(Ora Orade Shitori egumo)〉の反芻の結果だろう。さらに言えば、「無声慟哭」の〈おら　おかないふうしてらべ〉というトシのことばは〈けなげに母に訊く〉(同前一四一頁) ことばとしてあり、〈それでもからだくさえがべ？〉もそうであろう。それはすでに賢治ではなく母との会話として記述の対象になっている。「永訣の朝」における賢治の切迫した感情は冷静さをとりもどし、妹を看取る母や自分を記述する方向にことばが走っていくのである。だからこの詩の最後はこうなる。

わたくしのかなしさうな眼をしてゐるのは
わたくしのふたつのこころをみつめてゐるためだ
ああそんなに
かなしく眼をそらしてはいけない

(『全集第二巻』一四二頁)

ところで、この〈かなしく眼をそらしてはいけない〉と呼びかけられているのは誰にたいしてなのだろう。死んでゆくトシにか自分にたいしてか。〈わたくしのふたつのこころ〉とは何か。賢治とトシの心の一体性を言おうとしているのだろうか。そうだとすれば、賢治のトシへの異常なほどの愛情をとりあえずは信じておかなければならない。

知られているように妹トシは花巻女学校はじまって以来といわれた才媛で、日本女子大へも一番で入り首席をつづけていた。[★3] さらにトシは女学校時代に音楽教師との恋愛感情がうわさになり、『岩手民報』にゴシップ記事が載るなど、当時の男女の交際にまつわる時代感覚や地方の資産家（実際は金貸し業者とされている）の長女であることもあって、口さがない周辺の農民たちから非難されたようだ。それで家族に迷惑をかけたことをトシは苦にしていたらしい。《トシが大学にまで行ったのには優秀であったこともあろうが、トシ自身に学校や郷里から離れたい気持ちもあったようだ。実家もそれだけの財があった》と中塚鞠子は書いている（前掲論考）。ちなみにその下の妹シゲとクニは大学へ行っていない。トシは日本女子大在学中に毎週、賢治に手紙を書いていたというし、賢治のほうでも、一九一八年にトシが東京の病院に肺炎で入院したときには、看護のために一か月半ほどトシに付き添っており、そのさいに父にあててトシの病状を細かく報告する四五通もの手紙を書いているほどである。こうした妹だけに賢治が特別にかわいがっていたことは当然だろう。それぞれ東京へ出て、しかも宗教的な考えも通ずるところがあったとされているが、一心同体の感覚を賢治がもっていたとしても不思議ではない。げんに法華経の田中智学の創設した国柱会にふたりとも信仰の基礎をおいていた。賢治のトシへの愛情には兄妹の関係を超えたこうした同志的結合もあったのだろう。ちなみに吉本隆明はその浩瀚な『宮沢賢治』のなかで、トシ挽歌のなかの最初の三篇についてはなにも触れていないが、おそらくそれらを踏まえてだろう賢治の《亡妹トシにたいする痛切すぎる、むしろエロスの感情を混えたといいたいほどの兄妹愛》[★4]について言及している。そういう側面もあったとする解釈も十分ありうるだろう。たしかに宮澤賢治には青年期のいかんともしがたい性欲的な情念が噴出するような詩はほとんど見られない。すくなくとも女性の影がちらつくような作品は童話などもふくめてあまりない。だからこそこの〈トシ挽歌〉に見られる賢治の感情の激発にはどこか異常なものを感じさせられるのである。

それはともかく、この〈トシ挽歌〉に見られる賢治の特別な思い入れを考えると、「永訣の朝」に象徴される慟哭の激しさについてあらためて考えてみなければならない。

★3 『日本詩人全集20 宮沢賢治』新潮社、一九六七年、年譜を参照。

★4 吉本隆明『宮沢賢治』筑摩書房、近代日本詩人選13、一九八九年、一〇四頁。

2　慟哭のレトリック

　ここであらためて「永訣の朝」におけるトシ（とし子）の〈あめゆじゆとてちてけんじや〉の意味を考えてみよう。この詩の冒頭は〈けふのうちに／とほくへいつてしまふわたくしのいもうとよ〉という呼びかけではじまる。ということはこの詩を書くとき、賢治はすでに妹のその日のうちの他界を当然ふまえており、しかし詩を書くことのレヴェルではまだそれを予知しているだけかのように書きはじめられている。つぎの〈みぞれがふつておもてはへんにあかるいのだ〉という行も現在形を維持している。そこへトシのことばが呼び出されてくるのである。「雨雪とってきてください」という意味の〈あめゆじゆとてちてけんじや〉とは、意味のうえからもことばの標準語的流れのうえからも、いかにも唐突であるが、賢治はこのことばに異様なほどの力点をおいたのではないか。どうして二四歳にもなろうとする、しかも当時としてははやくもインテリ女性の風格をもちはじめているトシが、こんな甘えるようなことばを兄の賢治に発したのか。そして賢治は〈びちよびちよふつてくる〉みぞれのなかを〈おまへがたべるあめゆきをとらうとして〉〈まがつたてつぽうだまのやうに飛びだした〉のであるが、それらのことばの流れを断ち切るようにしてまたしてもトシのことばが挿入される。もちろん熱にほてった顔やからだを冷やすべく陶椀に入れてもらった雨雪をトシが所望したというのは事実かもしれない。しかし、この岩手弁のトシのことばは詩のことばの運動のなかでは、地のなかに埋め込まれた図のように、なにか特別なニュアンスをこめられているはずである。賢治がこのことばを前半部だけで四度も引用しているのは、そこに特別な意味あいをもたせようとしているからにほかならない。

わたしは以前からこの〈あめゆじゆとてちてけんじや〉ということばが或る種の切実さをもって書かれていると読んできた。賢治にこの詩を書かせたのは、このトシの死ぬまぎわの必死の叫び、というか兄の優しさへの要求をことばとして受け取り、それを実践するのみではなく、さらなる別の次元へと引き上げるかたちで引き受けるという要請と感じたからではないか。それはどうしても岩手弁としての親密なことばでなければならなかった。言語隠喩論的に言えば、この〈あめゆじゆとてちてけんじや〉こそが「永訣の朝」の起動力であり、〈(Ora Orade Shitori egumo)〉とともに、愛する妹トシを永遠に詩のかたちに結晶させる力となったものではないか、と思うのである。

〈ああとし子／死ぬといふいまごろになつて／わたくしをいつしやうあかるくするために／こんなさつぱりした雪のひとわんを／おまへはわたくしにたのんだのだ／ありがたうわたくしのけなげないもうとよ〉——こういう魂の奥底からくる慟哭の声をわたしたちは信じることができるが、これだけの絶唱を残すためには、自然発生的ロマン主義のことばの運動とは本質的に異なったことばの意識的操作をも見てとらなければならないだろう。すなわち、異質なことば（声）の意図的な混入であり、詩の語りの次元における複層化という方法の導入である。

詩の後半部も引いておこう。

すきとほるつめたい雫にみちた
このつややかな松のえだから
わたくしのやさしいいもうとの
さいごのたべものをもらつていかう
わたしたちがいつしよにそだつてきたあひだ
みなれたちやわんのこの藍のもやうにも
もうけふおまへはわかれてしまふ
(Ora Orade Shitori egumo)
ほんたうにけふおまへはわかれてしまふ
あぁあのとざされた病室の
くらいびやうぶやかやのなかに
やさしくあをじろく燃えてゐる
わたくしのけなげないもうとよ
この雪はどこをえらばうにも
あんまりどこもまつしろなのだ
あんなおそろしいみだれたそらから

このうつくしい雪がきたのだ
(後略)

(『全集第二巻』一三七―一三八頁)

ここで賢治は前半部の描写的流れを増幅させるようにしてトシへの思いを書きこんでいる。〈雪のひとわんを〉を入れた〈かけた陶椀〉とは〈わたしたちがいつしよにそだつてきたあひだ/みなれたちやわん〉だったのであり、トシはその椀にも哀惜の思いをもっていたはずである。トシが望んだ雨雪も〈あんまりどこもまつしろなのだ〉し、〈うつくしい雪〉である。「永訣の朝」はこうして最初の勢いが徐々に沈静化され、トシの魂の美しさを使いなれた椀の記憶や雪の白さに映像化された隠喩として定着させていく。賢治の慟哭はトシの〈あめゆじゆとてちてけんじや〉の引用を転轍器として悲しみのイメージを展開するかたちで一篇の詩として成就する。そこには賢治の詩意識がなんとしても妹トシの実存を詩という器の中に収めるべく、なかば無意識の詩的レトリックがはたらいていることを見逃すことはできない。賢治の意識が詩を構成したというより、トシのことばが賢治の詩意識を震撼させ、この決定的な作品が生まれたのであって、その逆ではけっしてない。そうでなければ、ひとりの愛する妹への追悼がこれほどまでの強いインパクトと持続的な力を現代にまで及ぼすことはできないはずである。

さきほど引用した「無声慟哭」の最後に置かれた〈わたくしのかなしさうな眼をしてゐるの

は／わたくしのふたつのこころをみつめてゐるためだ／ああそんなに／かなしく眼をそらしてはいけない〉の直前の行はこれも三字下げ丸括弧付きで〈(わたくしは修羅をあるいてゐるのだから)〉となっている。トシの死の当日に書かれたと言われる三篇の詩の最後には賢治の心はすでにみずからを〈修羅〉として見すえる覚悟ができていることがわかる。

どういうことか。賢治は愛する妹トシの死をまえにして、この死をただ見守るだけで終わらせず自身の詩の世界構築のひとつの契機としてあらかじめ覚悟していたのではないか、ということである。もはや避けることのできないトシの死をバネとしてみずからの詩の飛躍を試みること。賢治には素朴な自然的ロマン主義のように妹の死を悲しむような詩を書こうとするのではなく、この死をもみずからの詩の構想のひとつとして取り組むという意識があらかじめ準備されていたのではなかろうか。妹の死をみずからの詩的構想力の実現に深度をもたらすものとしてひそかに期待すること、そして一日のうちにどこまでこのモチーフを展開しきれるかを試してみること。〈トシ挽歌〉の二篇目「松の針」のなかにこんな箇所がある。

ああけふのうちにとほくへさらうとするいもうとよ
ほんたうにおまへはひとりでいかうとするか
わたくしにいつしよに行けとたのんでくれ
泣いてわたくしにさう言つてくれ

（同前一四〇頁）

ひとはこの部分を読んでこれを賢治のトシへの異常なまでのエロス的な執着と読むこともできる。情死的な願望ととれなくもないからだ。しかし、それ以上に感じられるのは、ここで表出された願望は字義通りのタナトス的な欲望であるとともに、こう書くことによって賢治のなかに萌していたであろう表現の虚構性への自覚というものではなかったか。最愛の妹の死を語り、みずからもその死へ同調するかのようなこうした文字を書きつらねながら賢治の心に去来したもの、そうした情死行を騙ることの嘘っぽさを同時に感じていたはずではないか。そうでなければこんな嘘くさい、安っぽいヒューマニスティックなフレーズを書けるわけがない。その程度には賢治の書くことへの意識性はみずからの表現の可動域を触知していたであろう。

賢治はそうした自分の表現者としての複雑な心境を〈修羅〉と呼んだのではないか。この〈修羅〉と化した慟哭する賢治はトシの〈あめゆじゆとてちてけんじや〉という別れのことばに驚き、そのことばを繰り返し引用することの効果を見出すことによって、このことばをその詩的構想のキーワードとして設定できることに気づいたのであろう。詩のことばが要請する仮構力、それは妹の死に直面して賢治にもうひとつの力、書くことの〈修羅〉、すなわち妹の死をことばのなかに凝縮することを代償として得たその非人間的なまでに冷酷な自由のありかを教えたのである。

こうした意味で賢治はみずからの慟哭を、トシのことばを導きの糸として強固な詩的レトリックで構築された挽歌として完成させることができたのである。

3　詩、崇高なるもの

宮澤賢治論としてははやくから知られた名著『宮沢賢治』[5]のなかで中村稔はこんなふうに書いている。

宮沢賢治がこの妹の死によってうけた衝動を、いくら過大評価しても足りない。そして、この三篇、「永訣の朝」「松の針」および「無声慟哭」は、賢治生涯の詩作のなかでももっともすぐれた数すくない作品の中にかぞえるのに躊躇しない。しかも、こうした、死の当日に、こうした詩をしかも三篇までも書くということには、なにか異常なものがある。（同前一二五頁）

まったく中村の言うとおりであるが、わたしがここまで分析してきたような解釈――言語隠喩論的解読――のようなものはなにも見られないので、正確ではあるけれども総体的な評価にとどまっている。そして「無声慟哭」のはじめのほうの〈わたくしが青ぐらい修羅をあるいてゐるとき／おまへはじぶんにさだめられたみちを／ひとりさびしく往かうとするか〉（『全集第二巻』一四一頁）を引いたあとに、《僕たちの心をうつのは、妹の死を目前にしながら、執拗なまでにじぶんを裏切るまいとする決意ではないのか。そしてこうした執拗な決意が、妹の死の当日に三篇ものかなり長い作品を書かせたのではないか。》（中村前掲書二二七頁）と中村は整理している。そこにはみずからを〈修羅〉と化して詩を書こうとする賢治の指向性を評価しようとする姿勢は見ることができるが、解釈としてはいかにも平板である。中村の言うように《死の当日に、こうした詩をしかも三篇までも書くということには、なにか異常なものがある》とたんに驚いているだけではなく、前述したように、それが賢治の〈修羅〉と化した詩的精神のなせるわざだったとすれば、宮澤賢治という詩人は或る意味では最愛の妹トシの死をさえも詩を書くことの極限においてまで活用することのできた詩人だったと言っても過言ではない。それはトシの生死をことばの実現において生き直すということにもつながる営為であったかもしれない。中村稔の言う《じぶんを裏切るまいとする決意》とは賢治の詩人としてのしたたかなまでの決意のことでなければならない。

若いころから宮澤賢治に傾倒してきた天沢退二郎はトシの死を《文学的事件》と呼び、「とし子〔トシのこと──引用者〕の死という事件が決定的であるという意味は兄賢治にとってではなくて、そしてまた詩人賢治にとってであるより以上に、《詩》にとって決定的であったのだ」[★6]と述べて

★5　中村稔『宮沢賢治』筑摩叢書、一九七二年。最初の版は書肆ユリイカ版で一九五五年刊。
★6　天沢退二郎『宮沢賢治の彼方へ』ちくま学芸文庫、一九九三年、一六二頁。

いる。いかにもブランショに依拠した作品行為論の提唱者らしい理解のしかたであるが、これまでほとんど誰もまともに解読できていなかった〈トシ挽歌〉にたいしても秀逸かつ大胆な解釈をほどこしている。

『無声慟哭』詩群――とりわけ『永訣の朝』――で奇跡的な高みに宙吊られて《詩》のオリジンが滅んだ、その滅び自体を悼むこと、すなわち夜を意識し剥奪することに挽歌詩群の流れが収束していくとき、ぼくの考えでは、宮沢賢治の詩作はほぼそこで本質的には終りを告げるのである。(中略)自由詩形における宮沢賢治の《詩》のオリジンはとし子の死とともに滅んだのであり、『春と修羅』第二、三集にどんな昂揚や苦悩があろうと、それは極言すれば宮沢賢治という詩人のいわば余生での営みにすぎないからである。(同前二一二―二一三頁)

一九二二年(大正十一年)、すなわちトシの死の年のはじめごろから怒濤のように詩作を始めた賢治にとって、その年の十一月終りにはその詩作行為はすでに本質的に終りを告げるというのであるから、さすがにそれは苛酷な話ではある。しかし「永訣の朝」から「無声慟哭」までの三篇をみずからの詩的構想力の極限への挑戦として賢治がなかば無意識的にも考えていたとすれば、たしかにそれから翌年六月の「風林」「白い鳥」まで詩作を中断したという事実は天沢の断定を許容しうるものとするだろう。

そうすると、前記したように、「無声慟哭」の最後に現われてくる〈(わたくしは修羅をあるいてゐるのだから)〉ということばはすでにこの長い中断を予見していたことになると言ってもよいかもしれない。賢治という詩人がそもそも〈修羅〉なのではなく、〈修羅〉に取り憑かれること、すなわちことばの鬼と化することが詩人存在としてのみずからを励起したことになる。そのことに賢治はこの「無声慟哭」シリーズの三篇を書き上げることを通じて一気に精通したのである。

その意味で詩集『春と修羅』の書名にも使われているこの〈修羅〉というキーワードについてもあらためて確認しておかなければならない。詩集と同題の詩篇「春と修羅」は一九二二年四月八日の日付をもつ。

いかりのにがさまた青さ
四月の気層のひかりの底を
唾（つばき）し　はぎしりゆききする
おれはひとりの修羅なのだ

（『全集第二巻』二〇頁）

〈修羅〉とはもともと仏教用語であるから賢治は当然、以前からこのことばを知らないわけがなかった。しかし、そういう知識と詩を書くうえでのことばの使用とは次元がちがうのであって、こうした〈ひとりの修羅〉としての自覚をもつことがすでに前提としてあったうえで、「無声慟哭」の〈(わたくしは修羅をあるいてゐるのだから)〉という表現がなされたとき、このことばがみずからの生死にもかかわるぐらいの精神的危機を表出する隠喩としてあらためて呼び出されたことはおおいに考えられることである。そう考えると、この一連の〈トシ挽歌〉は『春と修羅』のなかでは、さらには詩人宮沢賢治のなかでも特別な位置をもっているのではないかと思えてくる。天沢も言うように、おそらくこの天沢の著作をのぞいて、《文学世界・作中世界の自立性が見落されると、作品の追究は中途半端な退却に終ってしまう。『無声慟哭』三篇についてこれまで殆ど見るべき考究がないのもそれだけの理由があったといえるだろう》(天沢前掲書一六二頁)として草野心平、中村稔などの読解の浅さを批判している。わたしの解釈は天沢とはだいぶずれるが、あくまでもことばをそれ自体として、その創造的隠喩性の観点からこの〈トシ挽歌〉を読めば、そこには伝記的事実を超えたことばの世界の豊かさを汲み取ることができるのではないか。

(崇高の感情は)間接的にしか生じ得ないような快である、つまりこの快は、生の諸力がいったん瞬時的に阻止されはするものの、その直後にはいっそう強力に迸出するという感情によって産出される、したがってまたかかる快は感動であり、構想力の遊びではなくて厳粛な営みであるように見える。さればこそ崇高は、感覚的刺戟と一致しえないのである。崇高の場合には、心意識はひたすら対象に引きつけられるのではなくて、むしろ対象と互いに反撥しあい、またたえず対象から突き放されるのである。してみると崇高にかんする適意は、積極的な快を含むというよりは、むしろ感嘆あるいは尊敬の念を含むものである（後略）[★7]

このカントの崇高論は宮澤賢治の〈トシ挽歌〉そしてとりわけ「永訣の朝」にはおそらくほぼ正確にあてはまるだろう。トシの死と遺されたことばは崇高なものと言うよりなく、賢治はこの崇高さを誰よりも深く、また身近に感じとったはずである。賢治は、かりにトシの死を契機にみずからの詩的言語の創造のひとつのチャンスというもくろみを当初はもっていたとしても、トシのことばが与えた崇高さに震撼させられたのだろう。だから《ひたすら対象に引きつけられるのではなくて、むしろ対象と互いに反撥しあい、またたえず対象から突き放される》かたちで《感嘆あるいは尊敬の念》をもってこれらの詩を書き進めたのであろう。

おそらく賢治も感じとったであろう妹トシの〈あめゆじゅとてちてけんじゃ〉ということばほど崇高なことばは、詩のかたちのなかに引用として導入する方法においてしかその崇高さを実現しえないのである。わたしがこの〈トシ挽歌〉、とりわけその最初の一篇である「永訣の朝」について言語隠喩論的に評価したいのは、そのことばが人間存在の崇高さをほぼ完璧なかたちで実

★7　イマニュエル・カント『判断力批判（上）』篠田英雄訳、岩波文庫、一九六四年、一四五ページ。

現してしまったからである。いずれにせよ、賢治はこうした崇高さを詩のかたちにおいて実現してから詩作の本質的な終りをほんとうに終わらせるのに十年ほどの生命しかもちあわせていなかった。

4　おわりに

ここまで宮澤賢治の「永訣の朝」「松の針」「無声慟哭」を中心に〈トシ挽歌〉のテクスト構造を言語隠喩論的に検討してきた。これらは「無声慟哭」としてまとめられた詩作品五篇のうちの最初の三篇であり、前述したように、トシの亡くなったその日のうちに書かれたものである。このほかに「オホーツク挽歌」として半年以上たって書かれた五篇の詩作品もある。このうちそれらの最初に置かれた「青森挽歌」についても簡単に触れておこう。

けれどもとし子の死んだことならば
いまわたくしがそれを夢でないと考へて
あたらしくぎくつとしなければならないほどの
あんまりひどいげんじつなのだ

感ずることのあまり新鮮にすぎるとき
それをがいねん化することは
きちがひにならないための
生物体の一つの自衛作用だけれども
いつまでもまもつてばかりゐてはいけない

（『全集第二巻』一六四頁）

この二五〇行を超える作品はすでに『銀河鉄道の夜』を予感させるものをふくんでいる。ここにもトシの死は影を落としているのはもちろんだが、逆に言えば、『銀河鉄道の夜』こそ賢治において〈トシ挽歌〉を根底に据えて書きなおされたものなのではないか、という推定をさせるものがある。こうした研究はすでにあるのだろうから、いまはこれ以上ふれる必要もないし、場合によってはあらためて論じてみるのもおもしろいかもしれない。こうしてみると、賢治においてトシの死は、天沢退二郎が言うように「《詩》にとって決定的であった」と言えるかもしれない。

（追記　この「永訣の朝」については倉橋健一『抒情の深層――宮澤賢治と中原中也』矢立出版、一九九二年、のなかに、論点は異なるが優れた解釈があることをあとで知ることになって、いくらか安心するとともに、自分の発見のつもりでいたことに先行者がいることがわかって、すこしがっかりしたのも事実である。

倉橋は「二度生まれの子」という宮澤賢治論のなかでまずはじめに《私にわかることのひとつは、賢治はトシの死を悲しんだが、それを抒情してしまおうとははじめからいっさい考えていなかったろうことである》（同前一二二頁）と書き、さらに《賢治は我執の人であった。そのことを賢治はすこしも隠していない。極端な禁欲主義が破滅を招くだけのものでしかないことも賢治はよく知っていた。それを知ってなお禁欲をしているところに賢治の我執があった。修羅はそこから生まれたひとつの表現法だったろう》（同前一二八頁）と、わたしとは異なる視角から〈修羅〉の方法について論じている。）

長谷川龍生という方法

ひとが詩を書くというプロセスのなかには、たとえすでにある程度以上の経験と実績をもっている者でも、ことばの自然発生性といったものへの信憑ないし依託といったものがどこかあるにちがいない。書くことの原初性と呼ぶべきであろうこのプロセスは、みずからの祈念する来たるべき詩という形式を視野に入れながら、ことばの先端をいろいろ動かして、アタリをつけていこうとする。このあたりの機微をわたしは詩を書くことの〈身分け＝言分け〉構造としてすでに取り出してみた。[★1] このとき、詩人の書きつけていくことばは自分でもいまだ何についてどう書こうとしているのか目先のわからないことばとして、したがってなにものかの隠喩、詩的イメージとして投企されているばかりである。しかし詩ということばの探究は、詩という形式以外に自己実現することができない。それがどのような形態をとることになろうと、詩人はそれに納得できる

★1　野沢啓『言語隠喩論』未來社、二〇二一年、第一章。

かぎりにおいて、それをみずからの詩としてリリースするしかない。そこにその詩と詩人の価値があり、これは他者によってしか価値づけられることはない。

　ポール・リクールに影響を受けた解釈学者である久米博はこの詩的イメージについてこんなふうに書いている。——《詩的イメージは、詩人の魂の中、詩人のインスピレーションの中にではなく、詩の意味作用の中に宿っている。詩的イメージは、言語そのものによって創造される、言語の新しい存在なのである。[★2]》

　ここで久米の言う〈言語の新しい存在〉としての詩的イメージこそ、詩人が原初的にことばを通じて投企したみずからの詩のありうべき信憑の姿なのである。この信憑が詩として確信にいたるとき、詩は発表され活字となる。

山の上から、白紙状態の雲にのる
雲は、走っていく、翼をもぎとるために
わたしは、虹の谷間に、翼の原型を見た
風は、ななめにはこんできた。
風に、ささげた、白い肩の上に。
わたしは、白紙状態の
雲にのったアンバランスな鳥だ。

（「オブジェ」冒頭）[3]

これは長谷川龍生の最初の詩集『パウロウの鶴』（一九五七年）のなかに収められた作品だが、あまり出来のいいものとは思われない。しかし、ここで二度にわたって表記される〈白紙状態〉こそ、若き長谷川が出発点において感得したみずからの書くことの位相であり、ここで見た〈翼の原型〉から〈白紙状態の／雲にのったアンバランスな鳥〉たる自身のイメージを引き出している。このたよりないが世界へ向かって飛び立とうとする鳥こそ、代表作「パウロウの鶴」冒頭のあの颯爽とした鶴たちのイメージの原型ではないか。

剛よい羽毛をうち
飛翔力をはらい
いっせいに空間の霧を
たちきり、はねかえし
櫂のつばさをそろえて
数千羽という渉禽の振動が

★2　久米博『隠喩論――思索と詩作のあいだ』思潮社、一九九二年、一五二頁。
★3　『長谷川龍生詩集』現代詩文庫、思潮社、一九六九年、二六頁。

耳の奥にひびいてくる。

（同前八頁）

ここで長谷川は鶴の一団の先頭を切って飛ぶ一羽の鶴の運動にみずからを重ねるように一体化している。〈渉禽の振動が／耳の奥にひびいてくる〉のがその証拠だ。ここに見られる鳥の飛翔運動への力強い、断固たる信憑こそ長谷川が詩「オブジェ」で手がかりを得た自身の原型からの大きな飛躍なのではないか。このふたつの詩が書かれた前後関係はよくわからないが、おそらく「パウロウの鶴」のほうがあとだろう。この確信にみちた詩的書法はすでにしてみずからの詩的イメージ、すなわち詩の形式へのなんらかの手応えをもてなければ書くことができない種類のものだからである。それにくわえて詩の三連目、先頭の交代を告げるフレーズのなんという確信にあふれた記述。——

先端を切っていく一羽
それは抵抗と疲労のかたまりだ。
だが、つぎつぎと
先立ちを交替していく
つぎつぎと先立ちが

順列よく最後尾につらなっていく
バランスを構築し
小さな半円を
一線の空間をえがいて
みごとに翔んでいる

（同前九頁）

これは当時の労働運動のしたたかな闘争のありかたをイメージ化したという解釈もあっていまだに有力だ。たとえば倉橋健一はこれを「永久革命の思想」だとしている。★4 しかし、詩そのものが内包することばの運動の力強さと歯切れのよいリズム感がそうした解釈も可能とするほどに、身分け＝言分け的な詩的言語の隠喩性とイメージが世界の新しい存在のありかたを切り拓いてみせたからだろう。それまでだれも渡り鳥の一団の細かな動作とグループとしての連携をこんなふうに詩として提出してみせたことはなかった。これは当時の時代背景を超えても歴史に残る一篇だと言っていい。

詩集『パウロウの鶴』にはほかにも「嫉妬　二篇」「新テロリスト」「理髪店にて」「特許局に

★4　細見和之との対談「戦後詩の最後の一人が亡くなった——長谷川龍生の詩と生」『現代詩手帖』二〇一九年十一月号。

て」など優れた作品が多いが、総じて詩的イメージを確立したところで書きはじめられたかのようなものが目につく。つまり、ことばの切り口、一篇の構造が見えたところから作品が始まっているように読める。〈しだいに／潜ってたら／巡艦鳥海の巨体は／青みどろに揺れる藻に包まれ／どうと横になっていた。〉（前掲『長谷川龍生詩集』三六頁）ではじまる「理髪店にて」は撃沈されたのだろう巡洋艦の話をする客に理髪師がカミソリをあてる恐怖のシーンで終わっている。そこにはそれ以外のなにも叙述されているわけではない。また「嫉妬　二篇」のなかの「瞠視慾」では〈終着の駅まで／停車なしの急行車に／キャンプ売春婦が、ふたり／跳びのってきた。〉（同前一二頁）というシチュエーションが設定され、そのうちのひとりが排泄に苦しみだし、我慢を重ねた結果、失神する状態になるのだが、長谷川は最後の節で〈だらりと、だらしなく／オルガスムスになっている女の肉体に／ぎらぎらした嫉妬がわいてきた。／胸をかきむしり、ひきちぎり／殺意がおこってきた。〉（同前一三頁）と容赦しないかたちで締めくくる。だからどうだというわけではなく、こうしたスナップショットふうの描写がきまってしまうのは、詩が世界を物語ろうとするのではなく、世界の見えかたが詩のことばによって提示されればそれでよいからであろうか。提示はするが説明しない。あるいは説明まではしても結論づけない。詩は善悪の彼岸にあるからだとも言える。

そういう長谷川龍生の詩の書きかたが詩の政治性、社会性を標榜する『列島』グループのなかでもひときわ異色であったのは、鮎川信夫が長谷川に『荒地』への加入を勧めたことがあることからも想像がつく。長谷川の詩は詩の外部のなにものかに依拠することなしに詩のことばの自立性において世界を切り拓く隠喩的創造力を発揮することができたからであり、それは『荒地』の詩人たちとは異質のものだったから、そういう目新しさに敏感な鮎川がいちはやく評価したことも理由のあることだった。

　とはいえ、冒頭に書いたように、詩を書くことがことばの自然発生性を原点にもち、そこから世界へ向けてのことばのさしむけのなかでみずからの信憑を獲得していく作業であることには基本的に変りはない。『パウロウの鶴』でひとつの達成をみせた長谷川においても同様であり、しかしながらすでに手に入れた方法をさらに拡大したかたちで展開するもうひとつの突破口があった。それが詩集『虎』（一九六〇年）であり、とりわけそのなかの「恐山」と「虎」という長篇詩ふたつであるとわたしは思う。いずれも〈きみも、他人も、恐山！〉、〈虎、はしる。〉（句点がないものもある）というリフレインが要所にはいるところに共通点があるのは、あらかじめそういう符牒を蝶番として作品を展開しようとする構想があったからだろう。長谷川にはスナップショット的な切り口で斬新なイメージとその転換を書きつけるという手法から、もうひとつ大きな枠組みでことばを動かしてみたいという方法的欲望が生まれたにちがいない。とくに「虎」は蛤中毒になって三日間夢遊病者になってしまった自分がその間に走り書きした詩という結構をもち番号付きの一八個のブロックから成っている。その「17」。

威張っている人がいるだろう
つんとしている女がいるだろう
この空港には、つんとしている人間ばかりだ。
その時、その人やその女の前に
すたすたと歩いていって、とっさに
ポカンと頭をひとつ撲ってやるんだ
すると怒るだろう
まあ、失礼な、どうして、ひどい！
当りまえ、威張っているからさ、
すると、サクラになった友達が走ってきて謝るんだ。
どうも、済みません、
こいつ、ちょっとおかしいんで……
これで、万事ＯＫ！
早速、実行したら、うまくいった。

（同前八三―八四頁）

長谷川龍生とはどうにもつかみにくい詩人だということはカットの切れ味がいいこんな断片で

もよくわかる。天衣無縫というのもいまや陳腐な形容詞だが、こと長谷川にかんしてはあたっているかもしれない。（もっともこんないたずらはいまだったら許されないだろうが。）《長谷川龍生という詩人は初期においてすでに最高の詩を書いてしまった。まぎれもない天才型の詩人であった。長生きしてしまったことで、和製ランボオになり損なった詩人であった》と長谷川と長いつきあいのある倉橋健一はある追悼文[★5]のなかで書いている。たしかに詩という形式はいちど確立されても、たえず新たに脱構築していかなければならない、自身への桎梏になりかねない諸刃の剣なのだ。長谷川の自由闊達なことばの運びさえ、後半生にいたるといささかマンネリ化してしまったように見えなくもないのは、詩を書くことの原初的モチベーションが減退し、この時期に手法として定着させた方法を反復してしまったところにあったのかもしれない。

★5　「龍生逝く」『イリプス IInd』29号、二〇一九年十一月。

大岡信、ことばのエロス

大岡信ほど語ること多く、論じられることのすくない詩人はあまりいないだろう。そして『折々のうた』(岩波新書)などに代表される啓蒙的な仕事のためもあってか、そういう大衆性を好まない現代詩人たちに敬遠されている向きも否定できない。

批評文の部分的引用はそれこそ無数にあるが、その詩にたいする批評には、たとえば同世代の谷川俊太郎に比べたら、圧倒的に少ないのではないか。もちろん、これまでも各種雑誌の特集号などいくつもあったから、そのつど何人かの批評が要請され、論評されることも少なくはない。わたしもそうした局面で何度か起用され、しかもその多くは大岡自身の指名らしいかたちで書いたことがあり、整理してみたらどこに書いたのか不明のもの一本と『現代詩手帖』追悼号のものもふくめて七本の文章[★1]が出てきた。どういうわけか、わたしの詩人論としては大岡信について書いたものがいちばん多い。それ以外にもほかの詩論などで大岡について言及したり、大岡から引用してみずからの論の補強に使わせてもらったりして、いろいろお世話になっている。

お世話と言えば、昨年（二〇二二年）三十七年ぶりに復刊した『［新版］方法としての戦後詩』（未來社）の元版（花神社、一九八五年）はわたしが三十代半ばで初めて刊行した長篇評論だが、その刊行にあたっては大岡信がかかわりの深い花神社社主の大久保憲一に推挽してくれて実現したものだった。わたしの現代詩の世界への参加は二十代の終りごろと遅く、個人誌『走都』に細々と書き継いでいた連載評論に目をとめてくれたのがそのきっかけだった。『走都』に掲載した無名の詩人の下手くそな詩についてもわざわざコメントを付けたハガキをもらったこともある。そんなこともあって、その後いろいろかかわりをもつこともできたが、わたし自身の多忙と世事への疎さ、それに長い詩的中断期もあって、もっと親しくつきあってもらうべき時期を逸してしまったとい

★1　これらの評論とは書いた順番で言えば、以下のようになる。
「孤独な詩的転換装置――大岡信の詩の原理」……現代詩読本『大岡信』（思潮社、一九九二年八月）、のちに『隠喩的思考』（思潮社、一九九三年）に収録。

「他者とのコミュニケーション――大岡信と連詩の問題」……『國文学』一九九四年八月号。

「見ることの廃絶――初期大岡信の詩法」……初出不明。原稿データの日付は一九九五年十二月。

「金太郎飴とことばの力」……現代詩文庫『続続・大岡信詩集』（思潮社、一九九八年）に詩人論として収録。

「大岡信の詩論の現在」……『現代詩手帖』二〇〇一年五月号。

「危機のクリティック――大岡信の戦後詩史論」……『現代詩手帖』二〇〇三年二月号、のち『蕩児の家系――日本現代詩の歩み　復刻新版』（思潮社、二〇〇四年）解説として加筆のうえ収録。

「〈孤心〉の軌跡――大岡信さんへの感謝」……『現代詩手帖』二〇一七年六月号。

まにして思う。

というのも、わたしは大岡信の批評文によって教えられたことも多いが、その詩によってこそ現代詩の世界に導かれたと言っていいぐらいに、大岡の詩を読み込んでいたからである。しかもその詩の多くは初期大岡信のものなのであって、一九六八年発行の『大岡信詩集』（思潮社）は六〇〇頁近い、その時点での全集のような大冊だが、その本にはいまではやらない赤ペンでの傍線がいっぱい付いているぐらいなのである。

にもかかわらず、あらためて見てみると、わたしのこれまでの大岡信論ではこれらの詩についてさほど論じていない。というのも、おそらく依頼原稿では大岡詩論についての論評が求められることが多かったからではないかと思われる。そういう意味でわたしとしては大岡信の詩について満足のいく批評を書いてこなかったという不満をもっている。大岡の詩の多様性に批評の力が追いつかなかったというのが実情であったろうか。しかし、わたしとしては最近になってようやく確立することのできた言語隠喩論的な切り口と解釈によって大岡信の詩をこれまでよりもより的確に把握することができるのではないか、と思えるようになったのである。それは膨大な大岡の詩をすべて網羅的に解釈しようとするのではなく——そんなことはとうてい不可能だ——、大岡の詩法が詩のことばをもって世界に切り込んでいくその現場の力学を確認することができれば、大岡の詩の世界構築の原理を知ることができるはずだ、という確信めいたものがあるからである。それは言うまでもなく、詩人のことばによる世界創造の原理を追体験することで、自身の言語的創造へのスプリングボードにしうるのではないか、と予感するからである。

＊

大岡信の初期の詩篇は生とエロスをテーマにしたものが多い。その多くは早くから恋人関係にあったのちの妻、深瀬サキを念頭においたものと考えて間違いないだろう。名詩集と言っていい『春　少女に』（一九七八年）の劈頭におかれた、「深瀬サキに」という献辞をもつ「丘のうなじ」はその意味で代表的なものであるが、これについてはすでに現代詩文庫『続続・大岡信詩集』（一九九八年）の詩人論「金太郎飴とことばの力」でかなりくわしく分析しているので、そちらを参照してもらいたい。ここではこの作品の原テクストとも言うべき「春のために」という短いテクストのほうを取り上げてみよう。これは第一詩集『記憶と現在』（書肆ユリイカ、一九五六年）に収録された一篇である。短い作品なので全篇を引用しておこう。

砂浜にまどろむ春を掘りおこし
おまえはそれで髪を飾る　おまえは笑う
波紋のように空に散る笑いの泡立ち
海は静かに草色の陽を温めている

おまえの手をぼくの手に
おまえのつぶてをぼくの空に　ああ
今日の空の底を流れる花びらの影

ぼくらの腕に萌え出る新芽
ぼくらの視野の中心に
しぶきをあげて廻転する金の太陽
ぼくら　湖であり樹木であり
芝生の上の木漏れ日であり
木漏れ日のおどるおまえの髪の段丘である
ぼくら

新らしい風の中でドアが開かれ
緑の影とぼくらとを呼ぶ夥しい手
道は柔らかい地の肌の上になまなましく
泉の中でおまえの腕は輝いている
そしてぼくらの睫毛の下には陽を浴びて

静かに成熟しはじめる
海と果実

ここでは空も海も一体化し、そのなかで〈しぶきをあげて廻転する〉太陽も若いふたりを祝福するのであるが、〈ぼくら〉は〈湖〉となり〈樹木〉となり〈芝生の上の木漏れ日〉となり、しまいには〈おまえの髪の段丘〉へと焦点を絞り込みながら、冒頭にあったように〈砂浜にまどろむ春〉で飾られた髪に収束される。〈まどろむ春〉とは存在のかたちがまだ明確に現われてこない青春の隠喩として機能し、それを〈掘りおこ〉すことによって、みずからの存在の原初的形態を見出そうとつとめることであり、それは目の前の恋人の髪のかたちに結像するのである。

見られるように、ここにあるのは明るい太陽の光がふりそそぐ春の海辺での若い男女のまだ幼い愛の手探りの様態である。いつの時代でも、そしておそらく大岡信の青春時代のようなまだ戦後のはじまりと言ってもよい時代ではよけいそうだろうが、若い男女の真剣な愛とはまず見つめあうことであり、手を触れあうことから始まるのである。だから〈おまえの手をぼくの手に〉重ねることは求愛の最初のしぐさなのであり、自分と相手の存在を確かめあうことにつながるのである。手を触れあうことはすでに性愛の予兆でもある。〈ぼくらの腕に萌え出る新芽〉とは重ねる手の先につながる部分がなにか新しい生の予感を〈新芽〉として形象化している。〈さわることをおぼえたとき／いのちにめざめたことを知った。〉という大岡の代表作のひとつ「さわる」

の一節をここで思い出すべきだろうか。あるいはもうひとつの代表作「生きる」の一節——

きのうのぼくの眼の色をぼくは忘れた
しかしきのうのぼくの眼が何を見たかを
ぼくの指は知っている
眼の見たものは手によって
撫の肌をなでるようになでられたから
おお　ぼくは生きる　風に吹かれる肉感の上に

を引き寄せてみるべきかもしれない。詩「春のために」はこうして自然と一体化するなかで大岡信の若い感性が性愛の予感をともなってのびやかに発現していく様相を呈している。〈静かに成熟しはじめる〉とはそうした存在のはじめを確認することばである。

しかしながら当然のように、若い男女がこの愛を成熟させるにはいくつものステップを踏み、ジグザクを歩まなければならない。〈あてどない夢の過剰が、ひとつの愛から夢をうばった。おごる心の片隅に、少女の額の傷のような裂目がある。突堤の下に投げ捨てられたまぐろの首から吹いている血煙のように、気遠くそしてなまなましく、悲しみがそこから吹きでる。〉（「青春」冒頭）——この『記憶と現在』のはじめに置かれた作品のそれも冒頭の部分はすでにこの愛の亀裂の危機を暗示している。〈少女の額の傷のような裂目〉とは何か。それに見合ったような出来事があったのかはもちろんあずかり知らぬことだが、[★2]いずれにせよ愛とは平坦ななりゆきでは成就できないのだ。詩「春のために」はそうした危機を知るまえの純粋な青春の喜びと不安を奏でているものと言ってよい。

詩「翼あれ　風　おおわが歌」というやはり『記憶と現在』のなかの一篇にこんなフレーズがある。

おまえをはじめて押し倒した日
薄ら陽の堤の斜面で
おまえの視線がおれの顔を穴だらけにした
口に笑い眼に恐れる悲しいしきたり
おまえにそれを教えたのは　おれだ
あの日から傷は深みで
おれを男に変えた

★2　『現代詩手帖』二〇二〇年九月号〜十一月号に掲載された深瀬サキ連続インタビューにそのあたりのサキの家庭の事情が触れられている。

大岡信が真正の詩人であるのは、こういう実際あったことかもしれない生の断片を詩の思想に変えることができるからである。事実や事件をことばに置き換えるのではなく、ことばのなかでひとつの生を開き、まっさらなことばをあらたに生み落とすことができる詩人だからなのである。そのとき、詩のことばはこれまでどこにも存在しなかった聖なる世界を切り拓く。いくらありそうであっても、ことばの秩序として成立してはじめて存在する世界、それが詩の世界なのである。

ああこのかゆいものおれのなかのかゆいもの

（「愛することはすばらしい」）

彼女の笹身は清潔だ
なんにもない美しさだけが張りつめている

（「転調するラヴ・ソング」）

このあっけらかんとしたことばはこの一行ないし二行でひとつの世界の創出を語っている。みずからの生と性の実存をことばのなかに実現し、女の存在をまるごとことばのかたちに生けどること。大岡信は女を語らせたらどこまでも語りきれるひとではないかと思う。そう言えば、ずっとむかしあるときに「君はいまに言い寄ってくるだろう女性詩人に注意したほうがいいよ」となにげなく忠告されたことがある。なにか感じるところがあったのか、こんなことを教えてくれた詩人はほかにいない。それはいみじくも大岡の詩のエロスの深さを教えてくれるものだ。

きみは裏を貼ってない　鏡だ
涯しらずその内側にぼくは墜ちる

（「肖像」）

＊

大岡信は戦後詩において『荒地』グループに対抗して新しい詩の言語として感受性の祝祭を主張したひとである。

詩というものを、感受性自体の最も厳密な自己表現として、つまり感受性そのもののてにをはのごときものとして自立させるということ、これがいわゆる一九五〇年代の詩人たちの担ったひとつの歴史的役割だったといえるだろう。それは、ある主題を表現するために書かれる詩、という文学的功利説を拒み、詩そのものが主題でありかつその全的表現であるところの、感受性の王国としての詩という概念を、作品そのものによって新たに提出した。★3

大岡信はその詩的生をはじめる最初期から言語のありかたに敏感なひとだった。父は歌人の大岡博。幼少のころから日常的に歌としてのことばがすぐまわりにあった。その影響下にことばの力に早くから目覚め、高校生のときから詩の雑誌をつくって詩を書きはじめ、東大国文科に進んだ。卒論の夏目漱石論（『拝啓　漱石先生』世界文化社、一九九九年、に収録）は当時としても質量ともに出色のもので、卒論指導の教官たちを驚かせたにちがいない。漢詩の素養もふくめ分析力において早熟さを存分に示していた。おもしろいのは漱石の小説のなかにみずからの青春を重ね焼きして深読みしているところが散見されることであるが、いまはそこまで追っているわけにはいかない。

そうした大岡だったから、一九五〇年代詩人としてひと括りにされたことによって自身の世代意識により敏感に対応したとも言えるかもしれない。鮎川信夫へのつよい反発にはたんなる世代意識などよりも言語意識の差異――前世代の言語意識の古さへの批判的対応――があったからである。

早い話が鮎川氏をはじめ『荒地詩集』の詩人たちが今日までになしとげてきたことで最も意義があり、また詩人としてのこの人たちの独自性を決定しているのは、けっして「現代は荒地である」という風な現実感の存在を知らせたことにあるのではなく、この人たちが日本語を、少なくとも詩の分野で、変えた点にある。しかし日本語を変えるという言い方は不正確だ。実際は語の組合せによる言葉の秩序、つまり意味の秩序の新しいあり方を提示したとい

うことであり、別の言葉で言えば言葉のパタンを変えたということである。[★4]

わたしが大岡信を高く評価するのは、こうした大岡の言語意識の鋭さ、言語のありかたへの冷静な分析力なのであり、詩があらかじめなにものかの代理表象や〈文学的功利説〉に陥ることを拒否して、言語それ自体の成立可能性を深く認識していたからである。

大岡の世代、いわゆる五〇年代詩人たちの世代的主張のテーゼともなったと言うべき《感受性そのもののてにをは》とは言語表現主体の感受性に世代的な主観のアクセントをほどこそうとするものであると同時に言語表現の根源的な問題を前世代にはないやりかたで提示したものである。ここには国文科出身者らしい知識と教養とが反映されている。時枝誠記によれば、日本語にとっての「てにをは」とはそもそも《漢文訓読上、漢文に無くして国語に存する語を読み添える必要》[★5]に端を発しており、本居宣長の時代には《和歌の言語的修辞に関する事項を総括した名称》(同前九五頁)になったものである。言ってみれば、日本語のイノチとも言うべき修辞上の基本なのである。二条良基は《てにをはは大事の物なり。いかによき句も、てにをはたがひぬれば惣(すべ)てつかぬなり》と『連理秘抄』のなかで言っているそうである。国文学界ではこうした基礎知識はあ

★3　『蕩児の家系——日本現代詩の歩み　復刻新版』二二四頁。
★4　大岡信『現代詩人論』講談社文芸文庫、二〇〇一年、二六六—二六七頁。
★5　時枝誠記『国語学史』岩波文庫、二〇一七年、九二頁。

たりまえに了解されていたことだろうから、大岡が現代詩論のなかでこうしたことばを平然と使っているのは、特別に新しいことを言おうとしたわけではないだろう。それを世代的な感受性と結びつけたところに大岡の主張の新しさがあった。国文学上の知識と詩人の感受性との複合的な出会いと衝突がそこには予見されていたのである。戦後の『荒地』派がそれまでのモダニズムの手法を廃して伝統的な日本語のモードに撤退し、みずからの体験に即して理念を構築することに急だったあまり、時代にふさわしい詩の書きかたに眼がとどかなかったのにひきかえ、大岡は敗戦によってゼロと化したかのような日本語にみずからの世代的感受性をたよりに、そこに「てにをは」の知にもとづく言語の振舞いの可能性を探ろうとした。大岡信の《感受性そのもののてにをは》とは詩的言語の来たるべき方向性を示す指標だったのである。大岡にことばの問題についての言説が多いのはそのためであろう。

その意味ではわたしの言語隠喩論に通ずる指摘も多い。大岡は〈ことばの力〉を信じていたから、もし生きていてくれたらわたしの『言語隠喩論』をどう読んでくれたか、ほかのだれよりも関心があった。そして大岡自身にも詩的言語の原理論を書いてみてもらいたかった。

本稿はこれまであまり論じる機会のなかった大岡信の詩の魅力について、とくにその言語のエロス性について言語隠喩論的に論じてみた。しかし、大岡の詩の構造はしたたかで部分的には尻尾をつかまえたと思っても一篇の詩をこれまでのように明快に関連づけることはむずかしい。ことばの自在さがさまざまな解釈可能性を乱反射させ、ひとつの解釈体系に容易には収斂させないようにできている。今回の主題とした「春のために」はその意味で多様なイメージをふくんでおり、ことばの展開も一篇の詩としてみるかぎり、かならずしも緊密ではないから、結局、同じころに書かれたほかの作品のテクストを参照しながら、本丸を攻めるといった方策に頼らざるをえなかったところがある。それでも最初期の大岡信の詩の言語的配置の構造を読み解くひとつのサンプルの提供にはなったと思う。とはいえ、大岡の詩の豊穣さを汲み尽くすには、その意識的無意識的な言語操作をさらに解読する努力がまだまだ足りないことを今回あらためて認識させられた。さらなる成熟に向かう大岡の詩についてはその言語論の射程の確認とあわせて綿密な再検討を用意する必要があることをいまはつよく感じる。

清水哲男、〈東京〉というあこがれと断念

いまでも定期的に診察を受けに行く杏林大学医学部附属病院は東京都三鷹市新川にあり、クルマで家から三〇分ほどのところにあるが、ぶどうの房のような形状の三鷹市のなかでは南のほうにあり、調布市と近い。三鷹市自体が東は東京都世田谷区に隣接し、北は吉祥寺のある武蔵野市と接している。言ってみれば典型的な東京郊外の町だが、中央線が走っていて都心と直結しているので、郊外のベッドタウンというよりもそれ自体が東京の一部となっている。国木田独歩の武蔵野の風情をわずかながら残しているところから言えば、東京の外縁と言ってもよい。

そんな三鷹市のほぼ真ん中にあたる下連雀八丁目が昨年（二〇二二年）亡くなった清水哲男の最後の住まいのある場所だった。杏林大学医学部附属病院から距離にして一キロちょっとのところだ。地図で確認してその近さに驚く。こんなにも近いところに清水哲男の生の場所があったのだとあらためて気づく。清水はわたしが記憶するかぎり、この住まいにずっと住んでいた。そう言えば、実弟の清水昶も吉祥寺の成蹊大学のそばだったはずだから兄弟がわりあい近くに住んでい

たわけだ。なぜ、こんなことが想起されるかというと、わたしの知るかぎり清水哲男ほど東京が好きだったひとはいなかったし、また東京が似合う詩人だったからだ。

京都大学を卒業して最初に勤めたのがかつての（「新社」になるまえの）河出書房だったし、フリーになってからはたしかＦＭ東京の朝番組のパーソナリティを何年かやっていたのを記憶している。弟の昶によれば、「兄貴はああいうのが好きなんだよ」と言っていたぐらいで、わたしなどあのしびれるような切れのよいしゃべりかたには聞き惚れたものだ。

そんな清水哲男とは若いときからいろいろかかわりがあって親しくさせてもらっていたが、あるとき、清水の発するＳＮＳのなかで、プロ野球の巨人軍を批判する一節があったので、わたしがかつての巨人好きだった清水に驚きの発信をしたところ、ただちに返信があって、いまはもう巨人ファンではなくなったことをくわしく語ってきたのには驚いた。《二リーグ分裂以前からの熱烈巨人軍支持者でありつづけた私は……軽く三十年以上のファン歴を持つことになる》《この貴重な半生の時間を、私は約三万時間くらい、巨人というチームのために費やしたことになる勘定だ》[★1]なんて清水は書いていたぐらいだからだ。また俳句好きでも知られる清水から突然電話があって、自由律俳人の橋本夢道の句集を緊急復刊したこともある。そして晩年になると、あまり自由に動けなくなったこともあってか、福岡県久留米市主催の丸山豊記念現代詩賞の選考委員の

★1　「巨人ファン敗れたり」、『闇に溶けた純情』冬樹社、一九七九年、一二二頁。

引継ぎを申し渡されたこともある。いっしょに選考委員をつとめていた高橋順子にあとで聞いたところ、わたしを指名したのは清水で、もうひとりブレーキ役が必要ということで木坂涼が選任されたらしい。いったいわたしの暴走する傾向とはどういうことかわけを聞くこともなく清水は逝ってしまった。一見クールにも見える清水哲男は内心では心の暖かいひとだった。

＊

やや個人的な思いを書きすぎてしまったが、わたしとしては清水哲男を論じるにあたってどうしてもこうした清水の実像をわたしなりに書いておきたかった。

薄明の東京で白猫が凍死する
地上七階の窓の水を通して
遠望される光景は
またしても虹の消えた鉄路の果てで
すっぱりと切れている
この夜明け
山口から東京へと出てきた者には
山口から東京へと冷感が動き

山形から東京へと出てきた者には
山形から東京へと冷感が動く[★2]

これは詩集『東京』冒頭の十四ページにわたる長篇「きみたちこそが与太者である」のほぼ最初の部分である。ここで〈地上七階〉とあるのはその当時住んでいた中野のマンションの七階だったということである。[★3]そうだとすると、このすこしあとで

夜明けの東京はほとんど草原だ
草原のジラフとして立っている高層ビル

とあるように、七階の部屋の窓から東側に見えるだろう新宿あたりの高層ビル群が草原にたたずむジラフとしてイメージされたという清水の〈東京〉をめぐる連作の最初の一篇が、こうした東京の超モダンと自然そのものが合成されたイメージとして提出されたということはおもしろい。ここではジラフが高層ビル群の隠喩として発見されたというよりも、ジラフという動物が新宿という町に立ち上がるという書記行為が起動することによってこの詩の流れが引き寄せられたので

★2　清水哲男詩集『東京』書肆山田、一九八五年、八—九頁。以下、この詩の出典は省略。
★3　二〇二三年二月十五日の「清水哲男を偲ぶ会」で未亡人の幸子さんに確認した。

あって、その逆ではない。東の方角にジラフが立ち上がることによってそこに新宿という町が、ひいては東京が立ち上がるのだ。〈山口から東京へと出てきた者〉とは言うまでもなく、父親の仕事の関係で山口の奥地で少年時代を過ごした清水自身のことであり、その〈冷感〉とはあとで出てくる〈山から京へと動いてくる冷感〉のことであって、早朝の七階の窓を走り抜けていく風のもたらす冷感とも同期しているのだろう。わたしも世田谷区馬事公苑に隣接するマンションの七階の角部屋にしばらく住んでいたことがあるが、南側と西側の窓をオープンにしておくと、猛暑の夏の夜でもとても涼しいのである。清水の言う〈冷感〉の感覚はとてもよくわかる。東京だって涼しい場所もあるのだ。それはともかく、この〈東京〉の風景のなかで清水は、たとえば鮎川信夫の「繋船ホテルの朝の歌」のように、額縁化された窓の中に閉じこもるわけではない。清水はこの草原のなかのジラフが実際にはどのような人間世界の実態のなかに立っているものかを知るために、その世界に分け入っていくのである。

笑うまいことか
俺は起きているあいだ
酔っていたくないほうの人間である
国家なんて冗談じゃない
国旗なんて冗談じゃない

国税なんて冗談じゃない
ねえ　私の髪をさわってよなんて　まったく
冗談じゃねえよ

清水哲男はビールしか呑まないひとだった。それがまさか〈酔っていたくないほうの人間〉であるためだったわけではなかろうが、〈笑うまいことか〉これはけっこう本音であったようにも思える。いずれにせよ、ここではかつて左翼運動にもかかわった清水らしい〈国家〉以下の公的なものへの否定的言辞の連打のあとに、〈ねえ　私の髪をさわってよなんて　まったく〉といったかたちで冗談じゃないものへの対象が一挙に私的な情念の世界にまで降格させられることになる。この締めの一句など、まったく清水哲男ならではの殺し文句のひとつだろう。

すねている俺は嫌いだが
すねていないきみたちはもっと嫌いだ
なるほど俺は与太者である
眠っているきみたちの甘く伸びる爪を
しみじみと見ているちんぴらである
与太者としてきみたちに安心され

ちんぴらとしてきみたちに愛されている
この東京というところの一滴の水である

みずからを〈与太者〉〈ちんぴら〉と規定するのは、こんな朝もなんの不信も抱かずに眠っているであろう者たちとの対比としてあえて選ばれた自己規定なのである。このあたりに清水の軽妙洒脱さがあらわれていると言ってもいいところだが、この〈与太者として……安心され〉〈ちんぴらとして……愛されている〉〈一滴の水〉は〈くらいところですべって／ガラスの歯を持つきみたちのために／赤い酒を割ってまわるばかりなのである〉といったんはみずからを卑小化し、健康な者たちにその場を譲って撤退する。ここでこの詩の冒頭に置かれた三行につながっているのがわかる。すなわち――

目を上げれば
一滴の水
頬を伝うよ……。

この〈一滴の水〉は表面的にみれば涙ということになろうが、そしてそこに抒情詩人としての清水哲男を見てしまうことも可能だが、ここから清水は〈一滴の水〉としての自己を反転させていくのである。

俺はしばしば雑踏を歩いていく
健康な女の健康な肉の色を見るために
新宿の雑踏を歩いていく
健康な女はたいていが高校生だから
ねえ　私の髪をさわってよ
なんていわない
健康な女はたいてい金が目的だから
新大久保の小部屋の造作に
文句をつけたりはしないのである
そこで与太者は肉を見る
健康な肉を指で押してみる
つまんでみる
キスはしない
よだれも流さぬ

ほんとうかどうかはともかく、女子高生を新大久保の安ホテルに連れ込み、なにをするでもなく、〈金で買った肉が小生意気にも／俺の元気を誘い出しやがる／ビールまでラッパ飲みしやがる〉ので〈尻を叩いて女を追い出し〉てみると、結局のところ、この小生意気な肉の塊がその一部である〈きみたち〉とはとくになにものでもないことがおのずと見えてくる。

けっ　なんというあさましさだ
きみたちはなぜ
そうもガツガツと物を喰うのか

たしかに〈首都をひっかきまわしてきたのはまぎれもなく／十分に眠ったきみたちのほう〉だが、

理屈ではなく群衆だ
ジラフではなくて高層ビルだ
思想ではなくて情報なのだ

戦後思想の荒波のなかでもまれてきた清水にとって〈きみたち〉とはもはやかかわりをもつべ

き相手ではない。ジラフという隠喩的形象ではもはやなくたんなる事実としての高層ビル、理屈も思想もないただの群衆、情報でしかないのが見えてくる。世の中を表層としてしか理解しようとしない、この心なき貧しき者たち。

自己否定……か
ふむ
十分にみじめな言葉だな
夏の日盛りにじゃがいも畑を這いまわって
草々を抜いていた少年時代にこそ
出会いたかった言葉だよ

（同前二九頁）

とは次の詩篇「塩まいておくれ　景気をつけろ」に出てくる名ゼリフだ。戦時中の山口県奥地での貧困と戦後思想の洗礼を浴びた清水からすれば、これら青二才の甘さなど歯牙にもかけないでいられるのである。だからこそあらためて清水は〈きみたちこそが与太者である〉という認識にいたらざるをえないことになる。しかし、この認識はわたしなどとちがって〈東京〉への熱い想いをもとめてきた清水にとってはひとつの大いなる挫折だったのかもしれない。この詩篇の最後がつぎのように終わっていることを見るとき、この想いが深いことがいっそうわかることになるのではないか。

このとき遠い草原の
首ふらぬジラフが
ガクリと首を折る予感……。

この最後の〈……〉に示唆される思考の逡巡のなかには何が隠されたのか。思えば、冒頭の三行とこの終りの三行のあいだの長い展開は一場の夢のように、〈ジラフ〉としての清水の夢がはかなくも消えてゆく情景だったのかもしれない。わたしにとってこのジラフのイメージこそ、この詩をドライヴさせてきた美しい隠喩的原基であったが、その夢はまた誰かに引き継がれなければならないのか。〈首ふらぬジラフが／ガクリと首を折る〉——この清水の断念のさきに誰のものでもない〈東京〉が白々と草原のように広がっている。

そしてこの夢の断念は詩「塩まいておくれ　景気をつけろ」で、クルマで激突死する映画の役を担った佐田啓二の〈できすぎた〉せりふ、〈しょうがないですよ／これが東京なんですから〉に清水が共鳴していることでも推測できる。そのせりふを聞いたとき、清水は〈じゃがいも畑のなかにだって／空しく東京は実っているのだった〉と山口時代の清水の東京へのあこがれを表明しているが、〈本当は／それが苦労のはじまりだったのさ〉とつづけられるように、こうしたあこがれの行きつくところを清水は十分にわかっていたのである。

空しく吊り革にこびりついて
東京のにおいを嗅ぎあおうじゃないか
我々には何かが欠けている
東京で年老いていくことへの
真摯な怖れの姿勢にも欠けている

この断念と怖れが早くもこの時点で清水の脳裡をよぎっていたのだとしたら、清水にとって〈東京〉とは最終的に何だったのか。実際に〈東京で年老いて〉いった清水の生涯をみるとき、詩のことばそれ自体の想像力と創造力には人智を超えた先見性があることをわれわれはあらためて認識しなければならないのではなかろうか。

III　亡命と抵抗

ツェラン、詩の命脈の尽きる場所

わが言語隠喩論はこれまで隠喩や言語の問題にかんしては主に西欧哲学、西欧言語学を参照し、具体的な詩のテクストを検討するにあたっては日本語の詩を対象にしてきた。これは、言語の思想的哲学的側面にかんしては日本語文献がきわめて限られた蓄積しかなかったし、いま現在で参考にするに耐えるレヴェルのものはさらに貧困だったと言わざるをえないのにたいし、詩の言語についてはことばの襞々にまで分け入って理解し、吟味し、掌握するためには、母語としての日本語のテクスト以外には——わたしの貧しい語学力を別にしても——言語隠喩論的アプローチを試みることは原理的にむずかしいからである。詩にかぎらず、ことばというものは意味やリズム、ことばのかたち以外にもさまざまなコンテクストを背景にもっており、個人的にも社会的にも、さらには歴史的にも膨大な情報や環境のなかから生まれてくるものである。政治的な言語もあれば、学術的な言語もあり、日常言語のなかにさえそのコンテクストに沿っても理解しきれないものがたくさんある。そういうなかでとりわけ詩のことばは、散文的な文脈から切り離された、個人言語（イディオレクト）というかたちで提出されることが一般的なため、シチュエーションという手がかりが役に立たないこともあって、ことばそれぞれが理解しにくい。ことばは意味をもつまえに、まずことばそれ自体、ひとつのかたちとして存在する。詩を読むということは、このことばのありかたを認定するところから始められなければならない。詩が難解であるとみなされがちなのは、こうした無条件の認定のまえに意味の解釈を急ごうとするからにほかならない。まずはことばの語りかけに注視すること、そのことばの形態を容認すること。

詩のことばには発語の契機というものがあり、その契機にもとづいたことばの展開のプロセスがあるのだが、その連鎖作用というものは詩人にとっても無意識の部分を多分に孕んでいる。ことばはあたかもそこに投げ出されたかのように見える。とにかく詩人にとって、ことばはなんの前触れもなく突然やってくるのだ。詩の読者はそれを受けとめなければならない。

アルニカ、矢車草〔あるいは、こごめぐさ〕

このフレーズは、これからくわしく述べるように、パウル・ツェラン（ツェラーン）の或る詩の冒頭部分である。ということは、今回の言語隠喩論的探究のモチーフは、これまでの日本語詩を対象とするというこの探究の基本を破って、――それもあろうことか、わたしがほとんど読むことのできないドイツ語の詩、しかもドイツ語の詩としてもとりわけ難解でもって鳴るツェランの詩を対象とするというとんでもない掟破りをおこなうつもりなのである。それにはいろいろ事情があるのだが、そのあたりはじっくりと書き込んでいくつもり、とひとますは述べておくところから始めたい。

1　詩で何が起こっているのか

なぜ、パウル・ツェランなのか。

さしあたりまずツェランについて誰しも周知の簡単な伝記的事実の確認から始めよう。ツェランは一九二〇年十一月二十三日、当時のルーマニア領ブコヴィーナ地方の中心都市チェルノヴィッツで生まれた。本名はパウル・アンチェル Paul Ancel（ツェラン Celan の名前は本名のアナグラムである）でユダヤ人の両親をもつ。裕福ではないが、ドイツ語を話す教養階層の環境で育ったため、母語はドイツ語。ギムナジウム時代からとりわけ言語的文学的知見の方面において頭角を現わし、つねにまわりから一目おかれた存在となる。時代状況もあって、ユダヤ人子弟がよくするようにフランスのトゥール大学医学部に留学するが、いったん帰国した一年目の一九三九年七月に勃発した第二次世界大戦のためフランスに戻れず、あらためてチェルノヴィッツ大学でフランス文学を学ぶことになる。ナチス・ドイツによるユダヤ人強制連行により両親が強制収容所に送られ、そこで殺される。ツェランは強制労働収容所にいたため死を免れるが、両親の強制連行を守れなかったという負い目があり、また、ひとりっ子だったせいか、とくに母親の死（首を銃で撃たれて死んだ）がツェランに終生消えることのない傷を与えたとされる。ツェランはニーチェやとりわけハイデガーの哲学に親炙し影響を受ける。戦後は主にフランスで生活し、ソルボンヌでドイツ語とドイツ文学を教え、公私にわたって充実した日々を送っていたように見えたが、剽窃誹謗事件などに巻き込まれて晩年は精神を病み、一九七〇年四月十九日、セーヌ川に投身自殺。享年四十九歳。

ツェランは一九六七年七月二十四日にフライブルク大学での自作詩の朗読会で、朗読を聞きに来たハイデガーと会い、翌日、シュヴァルツヴァルト（黒い森という意味がある）のトートナウベルク（原音は「トットナウベルク」のほうが近いらしい）にあるハイデガーの山荘に招待されている。その訪問のあとで詩「トートナウベルク」が書かれるのだが、この詩をめぐる問題が今回のテーマである。さきほどの或る詩の冒頭として引用したのがこの「トートナウベルク」である。

詩「トートナウベルク」は、一九六八年一月にこの一篇だけでできた限定本五〇部として発表され（その一部はハイデガーにも送られた）、ツェランの死後すぐの一九七〇年六月二日に刊行された遺稿詩集『光の強迫』（一九七〇年）に収められている。ここではなにはともあれジャン・デーヴによる仏訳から谷口博史によって邦訳されたテクスト全文を以下に掲げる。

アルニカ、矢車草
井戸からの飲物、その上には
星の賽、

山小屋の
なかで、

記念帳に書かれた
(私の名の前には
どんな名が記されていたのか?)、
この記念帳のなかに、
今日、期待をもって、
書かれた一行。
思考する者から
心へと
到来するはずの
ことば、

森のコケ、平らにされず、
オルキスまたオルキス、まばらに、
酸味、あとになって、旅の途上で、
はっきりと、

私たちを運ぶ男は
それに耳を傾け、

小沼地のなか
丸太の
道をなかば進み、

湿り気、
とても。[★1]

いきなりこんなわけのわからない詩を読まされては面食らうかもしれないが、とりあえず謎を謎としたままで以下に考察をすすめたい。

どれほどわかりにくい詩のテクストにあっても、そして基本的には日本語オリジナルの詩とくらべると意味やイメージとしてしか（それも不十分に）把握しにくい翻訳詩においても、理解にいたるためのかならずひとつの手がかりとなるキーワードかキーコンセプトがあるはずだ、そこから詩の発語の根拠、詩それ自体の存在理由が見出されるはずだ、というのがわたしの言語隠喩論的探究の方法であり、その真価が問われるのもそこにおいてである。そしてこの詩「トートナウベルク」においてそうした役割を果たすことが期待されているのは〈思考する者から／心へと／到来するはずの／ことば、〉あるいは〈(来たる／べき、たえる／ことなく来たるべき）思索にふける者の／心からの一言〉というフレーズであると思われる。〈思考する者〉〈思索にふける者〉とは哲学者ハイデガーの言い換えであり、彼からツェランの〈心〉へことばが〈到来するはず〉なのである。そのまえの〈山小屋の／なかで、〉〈この記念帳のなかに、／今日、期待をもって、／書かれた一行。〉とは何を意味するのか。この詩は実際にあったツェランのハイデガー山荘の訪問という事実に依拠していることは確実であり、ツェランにおいてはめずらしく或る意味では機会詩と呼んでもさしつかえない側面をもっている。だからこそ、詩のことばがその本質的隠喩性にもとづいてまったく未知の世界を構築していくという言語の詩的創造性という局面においてはいくらか後退した性格をもっていることをあらかじめ指摘しておくべきかもしれない。この詩がたんに詩人が敬愛する哲学者の山荘を訪問した事実を叙述しているだけかのように想定するなら、そうした機会詩のひとつに甘んじることもやむをえないことになろう。

しかし、事態はそんななまやさしいものではない。ここには断片的な事実の痕跡が見られるとはいうものの、じつは肝腎なことはなにひとつ書かれていないことがこの詩のポイントなのである。あるいは何かがわかるように書かれていないことによってある重大な問題が暗示されている、と言ってもいい。その意味では或る状況のなかに置かれたことばへの期待された〈到来〉とその不在とが主題となっている、じつはおそろしい思考（の対立）が隠された詩であるのかもしれない。すべてのことばがその期待された〈到来〉とその不在を示す隠喩になっているとさえ言うこ

★1　フィリップ・ラクー゠ラバルト『経験としての詩――ツェラン・ヘルダーリン・ハイデガー』谷口博史訳、未來社、一九九七年、三〇―三二ページ。なお、この本にはアンドレ・デュ・ブーシェ訳からの邦訳も併載されている。参考までにこちらも引いておく。〈アルニカ、こごめぐさ、台座の／上に星を散りばめたキューブをのせた井戸から／飲むこの一口、//小屋の／なかで//そこで、記念帳に／わたしの名の前に書きとめられた名は／誰のものか？――／そこで、記念帳に、／今日、期待を書き込む／数行、／（来たる／べき、たえる／ことなく来たるべき）思索にふける者の／心からの／一言//森の腐植土、けっして平らにされず、//オルキス、オルキス、／ただそれだけ、//生のもの、あとになって、道々、／明白に//わたしたちを車で運んだ者、／その男もまた、／聞こうとして、//なかば踏み固められた、／沼地のなかそこの／丸太の小道、//湿り気、／そう。〉同前三五―三七ページ。なお、ラクー゠ラバルトはデュ・ブーシェの翻訳を、《「マラルメ的な」スタイル、その気取りようないし凝りよう》がツェランの《碑文のような硬質性や峻厳さにふさわしくない》（同前三八ページ）と指摘している。

とができるかもしれないのである。

ここでは何が起こっているのか。あるいは何が起こるべくして起こらなかったのか。このミステリアスな問題を探っていくことが目的である。

2　ハイデガーのナチズム加担

まず最初に断っておかなければならないのは、ここはツェラン論を展開する場所ではないということである。あえて言えば、ツェランの詩「トートナウベルク」だけを論じるためにこの場所は開かれているのだといまはしておこう。なぜなら、この詩が意味している問題は、個別の詩の解釈にとどまらず、ツェランとハイデガーという二十世紀のふたつの言語的頂点をめぐる現代の問題が深い亀裂と欠落を示唆する場所であることを明らかにする必要を呼び寄せるからである。すでに多くの論者が解明してきた〈ハイデガーとナチズム〉という古くて新しい問題にからめてわたしが言語隠喩論的立場から批評的に参入しようとするのは、ツェランの詩がかかえこんだ詩の発語の根底（とその挫折）にどこまで迫ることができるかという問題に挑戦したいと思うからである。

それではどこから手をつけるべきか。

そのひとつはいまさら言うまでもなく、ハイデガーのナチズム関与という厳然たる事実とそれにたいする戦後のハイデガーの対処の思想的過誤という重大な哲学的問題である。それは主としてナチズムのユダヤ人殲滅というおそるべき犯罪にたいする哲学者としての自覚と反省の欠如の問題である。そしてもうひとつは、自身がユダヤ人であり、両親をナチズムの暴力によって奪われたばかりかみずからも精神的に深い傷を負った一亡命詩人として戦後の生を送ることを余儀なくされたツェランが、それでもなお敵性語であるドイツ語のみで詩を書きつづけ、ナチズム思想に一時的とはいえ深く加担したドイツの大哲学者の思想につよく影響されながら、みずからのユダヤ性にこだわりぬいたという精神的事態である。このふたつの事態の存在論的対立がどうしてもなんらかの決着を必然としたにもかかわらず、それが深い亀裂をさらに深める結果としかならず、その結果としての詩人の自死を招いたのかもしれないという証拠として提出されているのがこの詩「トートナウベルク」である。そう仮定するところからこの問題は始められるべきなのではないか、と思わざるをえない。しかし、これはまだ結論ではない。詩「トートナウベルク」はその問題を断片的に顕在化しつつ詩の発語がどうしておこなわれたのかを十分に明らかにしていないからなのである。言い換えれば、この詩が書かれたという事実、それもこういうかたちで書かれたという事実だけが詩の問題としてどこまでも残りつづけているからであり、哲学者たちの議論はその問題を核心に迫ることなく、問題の中心を空白にしたままで最終的に解決していないと思われるからである。

問題はいくつも錯綜している。それらを逐一とりあげて解説していくのはわたしの任ではないし、わたしがここで必要としている課題でもない。わたしはハイデガーの研究者でもないし、ツェランの専門家でもない。あくまでも詩人として言語隠喩論的にこの詩を論じたいのだが、それにしてもあまりにも前提が多すぎる。その前提を最小限ふまえながら書きすすめていくしかないが、それでもじっくり論じていかなければならないことに変わりがあるわけではない。

それではまずは哲学者のほうから見ていこう。ハイデガーは二十世紀最大の哲学者であるとよく言われるが、その反面、批判されることも多い哲学者である。主著とされる『存在と時間』（一九二七年）は未完の書ながらも刊行当時から圧倒的な影響を与えつづけている書物であることは否定できない。この書で提示された〈存在〉と〈存在者〉の差異の問題や人間が死を必然として生きざるをえない〈現存在〉であるという認識など現在のわれわれにも納得できる視点を提示しており、その後も科学技術などへの批判的意味づけやことばをめぐる解釈の根源性など、いままでも読みかえしていく価値のある哲学者であることは間違いない。早くからスター性のある哲学者として評価されてきた結果、ナチズムの台頭とともにその反ユダヤ主義政策に呼応するかのように一九三三年四月にフライブルク大学の総長に四十四歳の若さで任命される。これがハイデガーの意思ではなく、さまざまな政治的学内事情からの就任であったことはおそらくたしかなことだが、総長就任の二週間後にナチ党に入党したという事実もふくめて、その総長としての就任演説

「ドイツ的大学の自己主張」はいかにもハイデガー的な学問論として提示された側面もあるが、時代が時代だけにそこで励起されたアジテーションこそはナチズムへの精神的加担とみなされてもしかたないほど民族主義的な主張となっている。ハイデガーはそこでたとえばこんなことばを吐いている。

> 民族の精神世界とは（中略）民族の**血と大地**に根ざすエネルギーを最深部において保守する威力、すなわち民族の現存を、最奥かつ広汎に昂揚せしめ、ゆりうごかす威力なのだ。ただに、このような精神世界のみが、民族の偉大さを保証する。（中略）全ドイツの学生がすでに進軍の途上にある。かれらの求めるのは、だれあろう、**かの統率者**である。★2

ここで《血と大地》とはナチズムのスローガンであり、《かの統率者》がアドルフ・ヒトラーを指すのは言うまでもない。ことばは慎重に選ばれているが、こうした流れのなかで学生をナチズムへと誘導し鼓舞する気鋭の哲学者としてのことばの威力はおそろしいほどのものだったろう。ナチスとは学問にたいする見解の相違もあったらしく、たとえ一年足らずで総長を辞任したとは

★2　マルティン・ハイデガー「ドイツ的大学の自己主張」矢代梓訳、エドムント・フッサール／マルティン・ハイデッガー／マックス・ホルクハイマー『30年代の危機と哲学』清水多吉・手川誠士郎編訳、平凡社ライブラリー、一九九九年、一一一―一一二ページ。強調は野沢。

いえ、そして以後はナチスの監視のもとに置かれたとはいえ、ハイデガーがナチスの台頭になにごとかを大きく期待したという事実、その煽動に一役買ったという事実、その思想的錯誤は否定されることはできない。それは歴史的結果だけをみて言うのではない。たとえばフライブルク大学にハイデガーを招聘してくれた師でもある現象学哲学者エドムント・フッサールを、その妻がユダヤ人であることを理由に大学から追放するのに加担したことなどをふくめて人間としてもとうてい赦されるようなことではなかった。ハイデガーは戦後しばらく教授職をはずされるが、フランスなど海外での評価は高く、かならずしも冷遇されていたとは言えない。ハイデガーは旅行好きではなかったせいかあれだけ入れ込んでいたギリシアなども晩年になって行っているぐらいで、その多くの時間はトートナウベルクの山荘に引きこもっていたのである。わたしはドイツの地理にくわしくないので、この山荘をめぐるハイデガーの描写するところを見てみよう。

シュヴァルツヴァルト南部の、或る広い渓谷の急斜面、その一一五〇メートルの高みに、小さなスキーヒュッテが建っている。見取図によればそのヒュッテは、六メートルに七メートルの大きさである。低い屋根は、三つの空間を蔽っている。すなわち、居間兼用の台所、寝室そして小さな仕事部屋。狭い渓谷の底に点在して、同じように急な向う側の斜面に大きく屋根の張り出した農家が広々と横たわっている。（中略）これが――訪問客や避暑客の眺める眼に映じた――わたしの仕事をする世界なのだ。わたし自身はといえば、風景などもともとまったく眺めてはいない。わたしは、人智の及びがたい季節の盛衰のなかで、その風景の毎時間ごと、日ごと夜ごとの変化を経験する。(中略)仕事はこうした山岳の現実にたいして固有の空間を開く。仕事をする道筋は、風景の生起のなかに沈んでいるのである。/冬の深夜、ヒュッテのまわりを突き上げるように狂暴な吹雪が荒れ狂い、いっさいが蔽い隠されるとき、そうしたときこそが哲学の至高のときなのだ。そのときこそ哲学の問いは、端的かつ本質的になるにちがいない。思索のひとつひとつの徹底的遂行はじつに困難で厳しく、それ以外ではありえない。ことばを鋳造する辛苦は、嵐に抗し、聳え立つ樅の木の抵抗のごときものである。★3

なんと美しい蠱惑的な文章だろう。これは総長退任後まもなくの地元のラジオ放送での講演記録である。退任をめぐるどんな話をするのかおおいに期待されたらしいが、ずいぶんのんびりした話であてがはずれたひとも多かったらしい。しかしハイデガーにしてみれば、これが本来の哲学の瞑想の場所であり方法なのであったにちがいない。シュヴァルツヴァルトの地形が髣髴とされる山岳のなかでだれに命じられたわけでもなくひとりの大学教師＝大哲学者が一年じゅう暇さえあればこの山荘に、しかもひとりでこもって哲学の仕事をするのである。しかし地図でみるか

★3　マルティン・ハイデッガー「なぜわれらは田舎に留まるか?」、前掲書一二八―一二九ページ。

ぎり、ドイツ南部のメスキルヒで生まれたハイデガーからすれば、そんなに離れた場所ではなく、いわば生地のすこし奥地の山岳にある山荘なのだろうから、それなりの土地勘があるのだろう。いずれにせよ、トートナウベルクの山荘とはそういったハイデガーのお気に入りの場所なのである。

ところが、そうしたハイデガーがほぼ同じ時期（一九三五年）にフライブルク大学で「形而上学入門」という講義をしており、これは『存在と時間』の中断を受けてあらためて形而上学について考え直したものとされているが、この講義録が初めて一九五三年に刊行されるにあたって、非常に重大な問題を残したとされている。それは終りのほうでこんな箇所を残しているからだ。

（「価値」が）今日、国家社会主義（ナチス）の哲学として横行しているが、この運動の内的真理と偉大と（つまり地球全体の惑星的本質から規定されている技術と近代的人間との出会い）にはすこしも関係のないあの哲学のごときは、「価値」と「全体性」とのこの濁流の中で当てずっぽうに網打漁をしているのである。[★4]

ここで何が問題なのかと言うと、ナチス監視下での講義内容が、戦後になっても、この箇所のように露骨にナチ賛美と受け取られかねない箇所――《この運動の内的真理と偉大》――が周囲の忠告にもかかわらず削除あるいは修正されなかったということである。このあとにつづくカッコはそのさいに追加された可能性もあるが、これは当時の講義メモに残存しているという話もあるから、同定できない。いずれにせよ、ハイデガーがこの時点においてもみずからのナチズム加担の重大性に気がついていないか、軽くみていたかのどちらかなのである。これがハイデガーが亡くなる十年前、正確には一九六六年九月二十三日に雑誌『シュピーゲル』編集部と交わされたいわゆる「ハイデガーの弁明」[★5]でも、ハイデガーがみずからのナチズム加担の主体性をいっさい否定するかたちの「弁明」に終始していることとつながるのである。よく知られているようにこのインタビューはハイデガー存命中には公表しないという条件のもとでなされたものであって、哲学者の死後、一九七六年五月に同誌に掲載されたものである。そしてこの日付を見ればわかるように、ツェランはこの「弁明」を読むことはできずに世を去ったわけである。ここにも今回のテーマとかかわる問題があるのだが、このあたりは後述することになろう。

要するにハイデガーは哲学者としての深い学識、明晰な読解力と鮮やかな筆力とは別に根っからの農夫的人格なのであり、それゆえの偏狭さとずる賢さもあわせもった人間でもあるのだ。そ

★4　マルティン・ハイデッガー『形而上学入門——付・シュピーゲル対談』川原栄峰訳、平凡社ライブラリー、一九九四年、三二三ページ。同じ訳者によるハイデッガー選集9『形而上学入門』理想社、一九六〇年、二五二ページ。強調は野沢。

★5　同前。なお、訳者によると「ハイデガーの弁明」というタイトルは、この対談が『理想』一九七六年九月号に掲載されたさいに、《理想社の意向で》（同前四二九ページ）付けられたものだという。

してまた一方では、フランスのレジスタンス詩人でもあった戦闘的なルネ・シャールのような詩人とも意気投合するようなおだやかな性格ももつ二面的な人物でもあった。そこでひとつ思い出したのだが、わたしにとって忘れがたいハイデガーというう人物のイメージがある。ジャン・ボーフレをはじめとするフランスのハイデガー支持者たちに招待された南仏旅行で、セザンヌの聖地ともいうべきサント－ヴィクトワール山へのアクセスを試みたさいのハイデガーの姿を同行した哲学者フランソワ・フェディエが回想した文章がある。以下に抄録する。

一九六八年九月三日。わたしたちはエクサン－プロヴァンスに向け、自動車で走り出す。（中略）わたしたちは、南欧特有の松の林の中を通り、ときどき岩盤の上をも歩いた。その岩盤は、足で強く踏むと、鈍く反響するのである。それがセザンヌの歩いたいくつかの道のひとつなのである。その道を行くと、わたしたちは、険しい断崖絶壁の岩の端に達する。わたしたちの足下には、木々の濃い緑と、大地の赤い肌があった。向い側には、サント－ヴィクトワール山があった。ハイデガーは、石の塊の上に腰を下ろし、あたりをじっと見つめた。プラトンは、〈自分の思想に沈潜した〉ソクラテスがときどき取った、驚くほど身動きせぬ姿勢のことを物語っている。ハイデガーは自分の思索に沈潜していたのではなかった。しかしハイデガーは、サント－ヴィクトワール山と向かい合い、山なみを見つめながら、無言のままじっと静かにしたままだった。永いあいだ、ハイデガーはそのように座ったままだった。

どれほど永いあいだであったのかを、わたしは言うことができないように思う。こうした時間は計りうるものではないからである。〈わたしは、わたしの祖国のさまざまな形態の調和を愛する〉とセザンヌはかつて語った。この調和を、ハイデガーは観取していたのである——それは、実行するのがもっとも困難な事柄である。なぜなら、そこには、世界の目立たぬ統一、その親密さ、すなわち存在そのものが隠されているからである。（後略）★6

ここに描き出されたハイデガーの姿をわたしは尊重しないわけにいかない。そのとき、ハイデガーの脳裡にあったのはこのような〈存在そのもの〉の姿なのか、あるいはトートナウベルクの山荘が重ねあわされていたのかはわからない。さらにはもしかすると、みずからの生きてきた実存についてさまざまな思いが沸々と湧き上がってきたのかもしれないのだが、それはもはや想像を超えた固有の問題である。

★6　マルティン・ハイデッガー『「ヒューマニズム」について——パリのジャン・ボーフレに宛てた書簡』渡邊二郎訳、ちくま学芸文庫、一九九七年、二一五—二一六ページ。訳者の「解題的総注」からの孫引き。元の文はハイデガーの死後、ドイツで刊行された『ハイデガーの思い出』にあるらしい。

3　ツェランの〈絶望的な対話〉

　ここでようやくパウル・ツェランについて語ることができる。とはいえ、ツェランはあまり散文を書かなかったし、みずからについては友人たちにもあまり語らなかったらしい。★7 ツェランは繊細な神経の持ち主であったらしいから、みずからのユダヤ人としての出自や故郷、ましてや母の死につながるようなナチスとのかかわりなどについては語りたくもなかったという事情はよくわかる。だからこそその詩業が公けに顕彰されたふたつの受賞（ハンザ自由都市ブレーメン文学賞、ゲオルク・ビューヒナー賞）のさいの講演は貴重なツェランの自己表明となっている。そのうちの最初のものである一九五八年のハンザ自由都市ブレーメン文学賞のさいのものは詩論というよりは挨拶にすぎないが、そのはじめのほうで故郷についてその名（チェルノヴィッツ）を告げることなく紹介するくだりがある。

わたしがそこから――なんという回り道をとって！　しかし、回り道などというものがそもそもあるものでしょうか？――出てきた土地、わたしがそこから出てみなさまのもとにやって来た土地は、ほとんどのみなさまがたには未知の土地であるかもしれません。そこはマルティン・ブーバーがわたしたちみなにドイツ語で再話したあのハシディズムの物語の少なからざる部分が生まれた土地です。そこは、もしわたしがこの地誌的スケッチをもうすこし補

ってもかまわなければ——人間と書物とが生きていた地域です。★8

これが公式にみずからの故郷およびユダヤ人としての出自を表明した最初の記録ということになる。ハシディズムとはポーランドを中心に起こったユダヤ教の精神主義的運動であり、ルーマニアのチェルノヴィッツはそこにつながる場所でもある。《人間と書物とが生きていた地域》とはそういう意味だろう。しかしそれは、人間の生きたことばが残存していない地域だとも言うことはできないだろうか。ツェランはこの挨拶のなかほどでこんなことを言っている。

もろもろの喪失のなかで、ただ「ことば」だけが、手に届くもの、身近なもの、失われていないものとして残りました。／それ、ことばだけが、失われていないものとして残りました。そうです、すべての出来事にもかかわらず。しかしそのことばにしても、みずからのあてどなさのなかを、おそるべき沈黙のなかを、死をもたらす弁舌の千もの闇の中を来なければな

★7　このあたりのことはイスラエル・ハルフェン『パウル・ツェラーン——若き日の伝記』相原勝・北彰訳、未來社、一九九六年、に多くのひとからの証言が集められており、パリに最終的に落ち着くまでのツェランの前半生がよくわかる。

★8　『パウル・ツェラン詩論集』飯吉光夫訳、静地社、一九八六年、五八—五九ページ。同じ訳者による『パウル・ツェラン詩文集』白水社、二〇一二年、一〇〇ページ。訳文には若干の異同がある場合がある。

りませんでした。ことばはこれらをくぐり抜けてきて、しかも、起こったことにたいしては一言も発することができないのでした、（後略）（前掲『パウル・ツェラン詩論集』六〇―六一ページ、『パウル・ツェラン詩文集』一〇一ページ）

ここにはツェランがこれまで語れなかったこと、語りたくても語れなかったことが、圧縮されたことばで堰を切ったように語り出されている。しかし、それでも具体的に語るのではなく、《もろもろの喪失》《すべての出来事》《死をもたらす弁舌の千もの闇》といった抽象化されたかたちでしか語ることができないのである。陳腐なことを承知で言えば、万感こもってことば足らずの気持ちだけが溢れていると言えようか。これまでの思いが圧縮されすぎて、解凍することができていない。同じ挨拶のなかでツェランは詩を〈投壜通信〉のようなものだという比喩を使って説明しているところがある。★9 この比喩はロシアのユダヤ系詩人オシップ・マンデリシュタームに由来するものらしいが、みずからがはなはだ頼りない偶然性に期待するしか可能性のない絶望的状況にあったことを指している一方で、そうした悲惨な状況のなかでも一縷の望みに賭けるという希望の力の表明でもある。

ツェランはそういう意味で絶えざる絶望のなかで詩を書いてきた詩人であり、そうした状況のなかでも希望をもつことを忘れることができなかった詩人である。ブレーメン文学賞の二年後に受賞することになったゲオルク・ビューヒナー賞の受賞講演「子午線」は分量的にも、これが唯一とも言える、より本格的な詩論となっていて、ツェランのことばへの思いが端的にうかがわれる貴重な文章である。いくつも重要な発言があるが、ここでは今回のテーマにそったことばを引いておこう。

詩は「別のもの」へおもむこうとします、詩はこの別のものを必要とします、詩はひとりの相手を必要とします。詩はこの相手をたずねあて、この相手に語りかけます。（前掲『パウル・ツェラン詩論集』八九—九〇ページ、『パウル・ツェラン詩文集』一二三ページ）

この〈「別のもの」〉こそいずれハイデガーが場所を占めることになるものである。この時点でツェランがハイデガーを念頭においていたかどうかはわからないが、すでにその可能性があったことまでは否定できない。なぜなら、この引用のすこしあとにツェランはこう語るからである。

★9 ツェランのことばは以下の通り。《詩はことばの一形態であり、その本質上対話的なものである以上、いつの日にかはどこかの岸辺に——おそらくは心の岸辺に——流れつくという（かならずしもいつも期待にみちてはいない）信念のもとに投げこまれる投壜通信のようなものかもしれません。詩は、このような意味でも、途上にあるものです——何かをめざすものです》（前掲『パウル・ツェラン詩論集』六二ページ、『パウル・ツェラン詩文集』一〇二ページ）

詩は――なんという条件のもとにおいてでしょう！――ひとりの――なおまだ――感じとっているものの、あらわれでるものに眼差しを向けているものの、あらわれでるものに問いかけ語りかけているものの詩となります――対話となります――それはしばしば絶望的な対話です。（前掲『パウル・ツェラン詩論集』九〇ページ、『パウル・ツェラン詩文集』一一四ページ）

これはまさしくツェランがトートナウベルクの山荘にハイデガーを訪れ、なにごとかの対話を、しかも〈絶望的な対話〉を果たすことになる、なんというはるかな予見であろうか。詩「トートナウベルク」を読みなおしてみよう。〈この記念帳のなかに、／今日、期待をもって、／書かれた一行。〉――この一行にはツェランのどんなことばが書かれたのか。ハイデガー山荘の入口には訪問者のための記念帳が置かれていたらしく、そこに書かれたツェランの署名のまえに誰が名を書き込んだかは知らず、ツェランはなにごとか期待をこめてハイデガーへの問いのことばを放ったはずである。もちろん実際にことばとしても話されたかもしれないのだが、その〈絶望的な対話〉こそハイデガーのナチズムとユダヤ人殲滅への加担にかんする質問であったにちがいないことは推察しうる。ツェランはすでに当時、みずからのユダヤ人性にたいして過剰なほど敏感になっていた。反ユダヤ主義にかんするちょっとした発言や態度にも強い反感をもって対応していたころであり、いくらか被害妄想的な精神分裂的な傾向があらわになっていた時期でもあるから、なおさら尊敬する哲学者でもあったハイデガーには懸案の問題にかんする問いただしをしないではいられなかったはずだからである。すでに書いたように、〈思考する者から／心へと／到来するはずの／ことば、〉こそがツェランがハイデガーに求めたものである。しかし哲学者からは無言しか返ってこなかったらしい。ツェランの絶望はどれほど深かったか。〈私たちを運ぶ男は／それに耳を傾け、〉という断片に刻まれているその男とは、ツェラン研究者の北彰によれば、フライブルク大学でのツェラン朗読会を企画したドイツ文学教授ゲルハルト・バウマン（Gerhart Bauman）の助手ゲルハルト・ノイマン（Gerhard Neumann）ということだと判明している。ノイマンは車中での会話について、のちにツェランに「この会話は歴史的な意味をもつもの」だと言ってきたそうである。ツェランは一九六七年八月二日付けの妻ジゼルへの手紙のなかで、「ハイデガーが筆を執り、この会話にかんして二、三ページ書いてくれればと思う、そうすれば現在復活しつつあるナチズムにたいするひとつの警告になる」と書いているとのことである。そのノイマンでさえもこの山岳地帯では著名な「教授様」[★10]が詩人に何を言うのかに興味をもって聞き耳を立てていたことがわかる。もしかしたら山荘へは途中から歩きになっていて（〈小沼地のなか／丸太の／道をなかば進み、〉）そこですでに交わされた会話のなかにすでにこの問いが発せられたのかもしれない。〈酸味、あとになって、旅の途上で、／はっきりと、〉という断片もそうすると、こ

★10　前掲「なぜわれらは田舎に留まるか？」、『30年代の危機と哲学』一三二ページにある、ハイデガーと古いつきあいのあったトートナウベルクの農婦がみずからの臨終のさいにハイデガーに伝言を頼んだ挨拶のことばとは「教授様によろしく」だったとされる。

うして山荘へ向かって歩きながらハイデガーが何か答え、それが〈あとになって〉〈はっきりと〉〈酸味〉のようなものとしてツェランがこの詩を書くときによみがえってきたのかもしれない。このあたりの構文はほとんど断片化されたうえに前後関係も意味の脈絡もたどれないほど破格のことばのかたちになっている。若いときから植物にもくわしかったらしいツェランがトートナウベルクの山荘を思い浮かべたときにまず最初に高山植物の名（アルニカ、矢車草ないしこごめぐさ、オルキス）が呼び起こされたのだろう。だから詩の生成の順序からすれば、ツェランがハイデガー山荘から帰ったあとでこの詩を書こうとしたときに意識のうえに記憶のなかからよみがえってきたことばの順序にすぎないのではないか、と思ってみるしかないかもしれない。だからこの詩のどのことばもなにごとかの隠喩として呼び込まれ、解体されつつ再構成されるというかたちでこの詩が形成されたとしか思えない。

　ジョージ・スタイナーは一九七八年初版の『ハイデガー』に新しく追加した「ハイデガー　一九九一年」という文章で《暗い、恐ろしい沈黙が「トートナウベルク」という詩から感じとられる》としてつぎのように書いている。

> ツェランはついに災厄（ショアー）について、無数の人間を灰にし、ツェランの運命をもかたちづくったユダヤの遺産を灰にした「死の風」について、ハイデガーが気づいていたかいなかったかを問いつめることになったし、討議に付すことになってしまった。事実、もし非人間的な残酷

さについての問いに、たとえそれが無力なみじめさからくる答えであれ、なんらかの答えを求める権利なり責任なりのある者がいるとすれば、それはパウル・ツェランであったろう。彼がおこなったように、ハイデガーの訪客録にその名前を記入したとき、ツェランは、出会いの可能性を究極的に信頼し、共に分け合った夜からことばを再生させようという冒険をしようとしていたのである。われわれの知るかぎり、つまり「トートナウベルク」がわれわれに教えてくれるかぎり、陳腐な言い逃れ（『シュピーゲル』のインタビューにおいてのような）によってか、それともまったくの沈黙、ハイデガーが教育の場においてさえもおこなった完全な発言放棄によってか、この信頼は破られてしまった。それがいずれであったにせよ、ツェランに及ぼした効果が惨憺たるものであったことは感じとられる。★11

このあたりのことをさらにふまえて、木田元はとても興味深い詳細をこの本の「解説」で書いている。

〔ツェランは〕深くハイデガーに傾倒し、ハイデガーの著作に精細な注釈をくわえていたと伝えられる。友人のゲルハルト・バウマンをたずねてしばしばフライブルクを訪れ、そこで自

★11 ジョージ・スタイナー『ハイデガー』生松敬三訳、岩波書店、同時代ライブラリー、一九九二年、三八—三九ページ。

作の詩の朗読会を開いているが、ハイデガーの方でもこの詩人に深い関心をいだき、その朗読会によく出席していたという。バウマンの紹介で、一九六七年七月二五日にツェランはトートナウベルクのハイデガーの山荘に招待され、そこに三日間滞在する。詳細は不明だが、ツェランが「災厄（ショアー）」についての、ユダヤ人を焼き尽くした「死の風」についてのハイデガーの考えを問い糺したのに対して、ハイデガーは沈黙で答えたものらしい。ツェランは深い幻滅の思いをいだいて山荘を去り、ハイデガーは門のかたわらに立ってそれを見送りながら、「ツェランは病気だ――もう治らない」と冷たくつぶやいたという。「茫然自失させ、魂を引き裂くようなまやかしがおこなわれたことはまぎれもない」という、ハイデガーに対するスタイナーの容赦のない非難が、彼の態度をよく示している。（同前二九二―二九三ページ）

このハイデガーのツェランを見送るさいの発言はいったい誰が記録したのか。ふたたび北彰によれば、このことばは、山荘の近くのカフェでハイデガー、ツェランと待ち合わせた前述のゲルハルト・バウマンが、フライブルクの自宅にいっしょに戻ってきたあとで、ハイデガーがもらしたことばだと記録していることがわかった。そうすると、ハイデガーがツェランを見送ったのはバウマン宅の門のところだったことになる。

時期的にいっても先の「シュピーゲル対談」のさいのハイデガーの反省のなさがそのままこの〈絶望的な対話〉にも反映していただろうことは疑えない。ツェランの絶望の深さが詩「トートナウベルク」にも反映し、遠くセーヌ川への投身自殺につながったのではないかというわたしの推測を裏づけるのではないだろうか。

4　ツェランはハイデガーに何を期待したのか

ここでようやく詩「トートナウベルク」のもつ深い謎について語る準備ができたと思う。なぜツェランはこの詩を書かなければならなかったのか。そしていかなる絶望がこの詩のもたらす謎の裏に秘められていたのか。

わたしがこの詩の存在を知ったのは冒頭で触れたフィリップ・ラクー゠ラバルトの『経験としての詩』においてであった。本稿で仏訳からの邦訳を引用したのはそういう意味からであり、このふたつの仏訳とその邦訳を知ることによっていくらかなりともこの詩の内容に接近しえたと思えたからであり、しかもこの本の結論でラクー゠ラバルトがとりあえず提示した解答に複雑な感慨を覚えたことの記憶があったからである。

この問題を論じるために、いくつかの確認をしておく必要がある。というのは、これらの問題の根底にはもともとハイデガーのナチズムへの加担という事実を誰もがそれとなく知っており、その件をめぐるグイード・シュネーベルガー、フーゴ・オット、カール・レーヴィットらの研究や批判がドイツではすでにあったにもかかわらず、しかしそれがあらためて大きな哲学的問題として浮上してきたのが、一九八七年十月にフランス語版が出版されたヴィクトル・ファリアスの『ハイデガーとナチズム』という大著がきっかけとなっていることはよく知られている。この本は日本でもすぐ翻訳（山本尤訳、名古屋大学出版会、一九九〇年）が出て、『思想』一九九一年八月号でも特集「ハイデガー／ナチズム／デリダ」が組まれるなど話題にもなり、わたしもかなり注意してこれらを読んでいる。しかしファリアスの本は暴露的ゴシップ的で、タメにするハイデガー批判という印象がつよく、あまり感心しなかった記憶があった。そうした騒ぎからだいぶたってラクー゠ラバルトの『経験としての詩』との出会いがあったわけである。わたしのなかでのくすぶりが再燃したのはあらためてこの本その他を読み直し、さらに読み残したままであったジャン゠フランソワ・リオタールの『ハイデガーと「ユダヤ人」』やラクー゠ラバルトの『政治という虚構』などを読むことでこの一連の話題にいよいよ自分なりの決着をつけなければならないという事態に追い込まれたような気になったときである。

こうしたなかでやはりラクー゠ラバルトのものがもっとも真摯にこの問題に取り組んでいるように思われた。ラクー゠ラバルトは一九八八年に刊行された『政治という虚構』の「はしがき」で率直に書いている。

わたしが「哲学に足を踏みいれた」のは（中略）ハイデガーの思惟に、まさに一撃、あるいは衝撃（中略）を食らったからである。それとほとんど時期を同じくして――数カ月ちがいで――、わたしはハイデガーがナチズムに加担していたことを知った。これは告白しておかなければならないが、他の多くの人びとと同様、このショックからいまだに立ち直れないでいる。こう言いかえたほうがいいかもしれない。ハイデガーの思惟をわたしがいかに賞賛していたとはいえ（いまでもそうだが）、政治的にも、政治的という以上にも、わたしは彼のナチズムへの加担と折りあうことができないし、できたためしもなかった。★12

この正直なハイデガーへのアンビヴァレントな対応こそ、フランス哲学者のハイデガー対応の特徴のひとつとも言えるものだが、さきにも触れたボーフレやフェディエといったハイデガー公認のハイデガー主義者グループとは一線を劃して、ハイデガーを是々非々で取り込もうとするのがジャック・デリダやリオタールとともにこのラクー＝ラバルトなのである。興味深いのは、《ハイデガーの一九三三年から一九三四年にかけての態度や発言は、たしかに胸のむかつくようなものではあるが、まだ扱いうるものだ。なんとしても堪えがたく許しがたいのは、一九四五年以後におけるハイデガーのヒットラー主義および大量虐殺についての完全な沈黙である》（前掲『ハイデガー』二二五ページ）とその頬被りぶりを非難するG・スタイナーが、返す刀でこうしたフラ

★12　フィリップ・ラクー＝ラバルト『政治という虚構――ハイデガー、芸術そして政治』浅利誠・大谷尚文訳、藤原書店、一九九二年、九―一〇ページ。

ンスの哲学者たちのハイデガー批判の不徹底を批判していることである。

わたしには、ファリアスの本を弔う騒々しい通夜のさなかに、幾人ものすぐれた精神の持ち主がまさしくこの種の嘆かわしいテキストを救出しようと決意していること以上に、痛ましく思われ困惑させせられたことはない。デリダの『精神について――ハイデガーと問い』やラクー=ラバルトの『近代人の模倣』や『政治という虚構』のうちに、(中略) われわれはハイデガーへのその強い求心性についての多弁で綿密な立証をともなった言い逃れを見出す。

(同前三〇ページ)

これはこのまえに引用したラクー=ラバルトの言う〈折りあい〉のようなものを指しているのだろうが、たしかに痛烈な批判であることはたしかである。まえにも触れたように、ルネ・シャールのようなレジスタンスの闘将でさえもかつての大敵であったはずのハイデガーを許容してしまうのである。反ユダヤ主義にたいして絶対に許容できなかったツェランからすれば、そのことを知りえたら、許しがたい裏切りとみなしてもおかしくはなかったはずである。デリダもユダヤ人であるのは言うまでもない。

ともかく、こうしたハイデガーのナチズム加担をめぐる論説が一九八〇年代後半以降に展開されていくなかで、ラクー=ラバルトの『経験としての詩』も一九八六年に刊行されているが、これはツェランの「トートナウベルク」ともう一篇の詩をハイデガーの哲学的思考とすりあわせるかたちで書かれているのである。ラクー＝ラバルトが詩「トートナウベルク」について書いている解釈を見てみよう。

実を言えば、「トートナウベルク」はかろうじて一篇の詩たりえているのだ。この詩は、細かく刻まれて膨張した、かたちをなさない省略的な単一の名詞文であるが、これは素描ではなく、流産したある物語の残余――残滓――なのである。つまり、一篇の詩を期待しめざしながらただ急いで乱雑に書き記されたような、短い控えあるいは覚え書きであり、これを理解できるのは、それらを記した者、書いた者だけである。これは衰弱した詩、もっとうまく言えば、失望した詩なのだ。これはある失望についての詩なのである。つまりそのようなものであるかぎりにおいて、この詩はポエジーの失望であり――ポエジーの失望を語るのだ。

（前掲『経験としての詩』八六ページ）

この解釈は哲学者としては的確な要約と言ってもいいものであるが、この詩の反面をしか見ていない。もっと言えば、肝心要めのモチーフの真摯さがよく見えていない。かつてジャン＝ポール・サルトルがボードレールの詩を批判したときのように、哲学者の詩の理解とはこうした外部からの状況判断にもとづいた外在的解釈にとどまってしまうのである。その解釈が適切であるように思われるだけに、その先がなにもない、ということになってしまう。ツェランが書いたのははたして〈流産したある物語の残余——残滓〉〈失望の詩〉〈失望についての詩〉なのだろうか。詩を書く人間としてそんなつまらないことはないはずである。ましてツェランのように、いかなる苦しい状況にあっても一縷の望みを抱かないではいられない詩人からすれば、そこにはハイデガーにたいしてなおも何かを示さずにはいられない事情があったはずである。この詩を理解できるのは《それらを記した者、書いた者だけ》ではなく、詩を内側から、つまり詩を書くという主体の立場からことばの選択、配置をみずからのものとして理解しようとする者にも可能性が開かれている、ということでなければならない。

こう書いてはおくが、そのことをじつはラクー＝ラバルトはかなりいい線まで理解してはいるのである。

思想家——それもドイツの思想家——であるハイデガーのまえに、詩人——それもユダヤの詩人——であるツェランはやってきた。たったひとつの、だが明確な祈りをたずさえて。すなわち、ポエジーを聞きつづけてきた思想家であり、それとともに、たとえこれ以上ないほど短い期間であり、これ以上ないほど卑劣さを欠いた仕方であったとはいえ、のちにアウシュヴィッツを生み出すもとになったものと結託した思想家、しかもこの点について、アウシュヴィッツについて、たとえ国家社会主義にたいする彼の数多くの対決がいかなるものであったとしても、完全な沈黙を守りつづけた（守りつづけるであろう）思想家、そのような思想家に一言、ただ一言を言ってほしいという祈りである。つまり、苦しみについての一言、それを起点にすることによって、おそらくあらゆることがまた可能となるような一言を。（中略）それにより可能になるのは、実存であり、ポエジーであり、発語なのだ。言語であり、言いかえれば、他者への関係が可能となるのである。（同前九一―九二ページ）

その一言とは何か。ラクー＝ラバルトは《その語とはもっとも控えめな語であり、それでいて口にすることがもっとも困難で、まさしく「自己からの脱出」を要求する語である、と。〈西洋〉全体が、贖罪のパトスのうちにありながら、けっして口にすることができなかった語であり、これを言えるように学ぶことはわたしたちに残されたことなのだ。もしその語を言えなければ、わたしたちは崩れさることになるであろう》ともってまわった言い回しのはてに告げられるのはあっけないほど単純なことばなのである。――《その語とは、**すまない**（赦してくれ）という語である》（同前九三ページ）と。ここで**すまない**（赦してくれ）の原語は〈pardon〉であって、もっともシンプルな謝罪のことばである。

わたしも以前はこの解釈にかなり納得させられたこともあったが、あらためて考えてみれば、はたしてそんな簡単なことばで片がつく問題なのか。

デリダはそのツェラン論『シボレート』のなかの最後のさりげない注において、トートナウベルクの山荘でのツェランとハイデガーの出会いについて、《この出会いの秘密、そこで起こったあるいは起こらなかったことについては、フィリップ・ラクー゠ラバルトが、わたしの思うに、もろもろの本質的な問い、核心をつく問いを提起している》[★13]と書いている。ここでデリダはラクー゠ラバルトにゲタを預けてこの問題への深入りを避けている。

しかし、この点についてデリダはのちにラクー゠ラバルトの解釈に疑問をいだくようになっていく。というより、デリダはこのあとも〈赦し〉の問題にたいする考察を継続して深めており、最終的に二〇一二年に《Pardonner》というタイトルで刊行された小さな本[★14]のなかで、この問題に最終的な解釈を与えようとしている。pardonner は pardon の動詞であり、pardon はこの動詞の名詞形である。

デリダはこの本をまとめるまえにいくつかの予備的考察を試みている。ヴラジミール・ジャンケレヴィッチの『時効にかかりえぬもの』という本で提起された、赦されざるものとはそもそも時効にかかりえぬものであり、ナチズムのユダヤ人虐殺という「人道に反する罪」は永遠に赦されざるものであり、しかもその当事者たちが赦しを乞うことさえしない以上、絶対に時効にかかりえぬものとして永遠に裁断されなければならないとするジャンケレヴィッチの激しい糾弾にたいして、《赦しえないものがあるという事実から出発しなくてはなりません。本当は、唯一それだけが赦すべきものなのではないでしょうか？（中略）赦しは、不可能なものそのものとしておのれを予告しなくてはならないということです。それは可能でないことをなすことによってしか可能ではありえない。[★15]》とデリダはすでに逆説的な問題提起をおこなっている。そのうえであらためてツェランの詩「トートナウベルク」について検討をくわえていくわけであるが、それにあたってデリダはさまざまな「トートナウベルク」解釈にたいしてこう予防線を張る。――

ツェランの詩の字句そして省略法にたいする敬意をこめて、そのように透明で一義的な読解のほうへ歩を急がせるつもりはない。むしろそれは、赦し（授けられるあるいは乞われる）は、赦しの宛先は、もしそのようなものがあるならば、永久に決定不可能な仕方で両義的なままにとどまるべきであるということをわたしは示唆したいからである。（前掲『赦すこと――赦し得ぬものと時効にかかり得ぬもの』四八ページ）

デリダはこのすこし先で詩「トートナウベルク」が山荘の記念帖へのみずからの署名が《ことばへの希望に、心へとやってくるひとつの語への、ひとりの思考する存在の心からやってくるか

★13　ジャック・デリダ『シボレート――パウル・ツェランのために』飯吉光夫・小林康夫・守中高明訳、岩波書店、一九九〇年、二一七―二一八ページ。

★14　Jacques Derrida: Pardonner. L'impardonnable et L'imprescriptible, 2012, Édition Galilée. 邦訳『赦すこと――赦し得ぬものと時効にかかり得ぬもの』守中高明訳、未來社、二〇一五年。

★15　ジャック・デリダ「世紀と赦し」鵜飼哲訳、『現代思想』二〇〇〇年十一月号。

もしれないひとつのことばへの希望に結びつけている》(同前五二ページ)ことを確認している。ここには〈赦し〉ということば、それにともなう〈赦しえないもの〉をめぐるのっぴきならない問題があることは間違いないだろう。赦しを乞う者ではない者(ハイデガー)へのツェランの赦しは可能なのか、もしかりにそれが可能だとしても、そこにはどんな意味があるのか。

たしかに西欧の謝罪のことばがそれほどの内圧を経ないと表出できないものだとするラクー＝ラバルトの理由づけは西欧中心主義的な狭さを感じさせるし、実際のところ、ハイデガーがなにか謝罪なり弁明をしたとしても、ツェランは満足できなかったにちがいない。ツェランがその場で失望し、しかるのちに「トートナウベルク」を書いたとしても、それは最終的になにか回答をもとめるものではなく、そうした〈失望の詩〉こそがあらたな希望を生む可能性のほうを信じたのではなかろうか。

こうしたツェランの詩のもつ複雑な力学を解読するためにはもうひとつの補助線を導入する必要があるかもしれない。それはジル・ドゥルーズとフェリックス・ガタリがフランツ・カフカを論じるにあたって、その文学を〈マイナーの文学〉と定義した問題とかかわる。このプラハの作家はツェランと同様、ドイツ語圏の周辺にあって少数民族でありながらユダヤ人であるというきわめて類似した共通点があるうえに、やはりドイツ語でその特異な小説を書いている。ここでドゥルーズ／ガタリは、カフカにおいては《表現の問題は普遍的な抽象的な仕方では提起されず、いわゆるマイナーの文学――たとえばワルシャワやプラハのユダヤ人の文学――との関係において提起されている。マイナーの文学はマイナーの言語による文学ではなく、少数民族が広く使われている言語を用いて創造する文学である》[★16]とまずは規定する。ツェランの詩もチェルノヴィッツのユダヤ人の文学としてこの根本規定にぴったり一致することを確認できよう。ドゥルーズ／ガタリはこのマイナー文学の特徴として三つほど挙げているが、その第一の特徴として《言語があらゆる仕方で非領域化の強力な要因の影響を受けている》（同前）としたうえで、カフカのようにこうしたユダヤ人が陥っている袋小路について言及する。

書かないことは不可能であり、ドイツ語で書くことは不可能であり、ほかの言語で書くことは不可能なのである。なぜ書くことが不可能かと言えば、不安定で抑圧された民族意識は、かならず文学に支えを求めるからである。（同前二七―二八ページ）

これをツェランに即して言えば、ツェランはユダヤ人であるために少数民族の言語であるルーマニア語で書くには克服することのできない距離感があったし、ドイツ語で書くことは、辺境に住むドイツ人のなかでも排除される立場にあるユダヤ人として遊離した存在になってしまうからである。ツェランはこのみずからとは遊離したドイツ語を用いるという言語的存在という意識を

★16　ジル・ドゥルーズ／フェリックス・ガタリ『カフカ――マイナー文学のために』宇波彰・岩田行一訳、法政大学出版局、一九七八年、二七ページ。

終生もちつづける。そしてこのユダヤ人でありながら敵性言語であるドイツ語で詩を書くというみずからのかかえこんだ矛盾に苦しみつづけるのである。ドゥルーズ／ガタリが言うように、この包摂的排除という存在規定の特徴は政治的であるということである。マイナー文学においては《その小さすぎる空間は、ひとつひとつの個人的な事件が直接に政治に結びつくようにさせている。したがって個人的な事件は、まったく別の歴史がそのなかで働いていれば、それだけいっそう必然的で、不可欠で、顕微鏡によって拡大されたものになる》（同前二八―二九ページ）わけである。ツェランが表現主義の詩人イヴァン・ゴルの夫人によってしつこくゴルの詩の剽窃を言い立てられる事件が晩年の精神分裂症の一因とされるのも、こうしたユダヤ人であるがゆえの過剰な意識の結果でもあろう。そういうなかでハイデガーはツェランにとってどうしても必要な味方でなければならなかった。

〈思考する者から／心へと／到来するはずの／ことば、〉というツェランの詩のことばはまさにこう書くことによって詩が成就するための希望の隠喩であった。しかしその希望のためのことばは、やはり心に深い傷を負ったツェランにとってもはや現実の生を営みつづけるための力を呼び起こすことはできなかった。「トートナウベルク」をことばの散乱のかたちで書き上げたとき、しかもツェランはその詩をラクー゠ラバルトが言うように《急いで乱雑に書き記されたような、短い控えあるいは覚え書き》としてではなく、校正をしっかりとおこなったという事実があるらしい以上、この詩はツェランの生が行きつく場所までを示唆していたにちがいない。「トートナウベルク」という詩は意識の乱れがことばのかたちとして定着され、そのことばの散乱こそがツェランの最終的に言いたかったことの隠喩になっているのであり、その伝えがたさの隠喩として彫琢されたものなのである。こうした〈投壜通信〉のようなかたちで詩を残すことがツェランの最後の抵抗だった。たとえツェランがハイデガーから赦しを乞うことばを得たとしても、それはもはや問題にはならなかった。みずからの詩の命脈が尽きる場所を見きわめたとき、ツェランの生への志向もまた尽きたのではなかろうか。

（追記　この論考が『季刊　未来』二〇二一年春号に掲載されたあと、ツェランとハイデガーにかんする重要な情報を提供してくれた北彰氏に感謝したい。それらの情報は本論で取り込ませてもらった。）

金時鐘、〈在日〉を超えて世界普遍性へ

詩は特別な事情でもないかぎりネイティヴなことばで書かれるのが普通である。ひとは生まれついてからことばを身につけるまではきわめて限られた生の環境のなかで、つまりは両親のいる家庭のなかでことばとともに育てられる。乳幼児が日常的にもっとも長く濃密な時間を過ごすのは母親との（乳房と母乳を媒介とする）スキンシップと母の声がとどく空間のなかであるとひとまずは言えるだろう。そして時間を経るにつれて乳離れとともにすこしずつその関係の幅が広がっていくのだが、それでもことばを覚える幼少期までは母の厚い庇護のもとに育てられ、その影響を深く受けることになる。ひとがそれぞれ自然に習得したことばが母語（母国語）と呼ばれるのもそういった事情があるからである。英語でも mother tongue〔母の舌〕とは母語のことであるのは言うまでもない。

もちろんひとの生まれる環境や生育過程はさまざまであるから、こうした通常のパターンがあたりまえだというわけではない。ひとは両親の性的結合の結果として生まれ、そこから無数の多

様性のなかで生育するわけで、その資質もふくめてそのひとがどのような人間になっていくかは、結局、そのひとが一人前の人間になってみてからしか跡づけることはできない。とはいえ、そこに大きな痕跡あるいは逸脱が当人のいやおうなしに形成されてしまうことはきわめてしばしば起こることである。すくなくともみずからを表現者として選択した人間の場合、それが顕著に見えてくることになる。逆に言えば、そうしたみずからの内なる異和なりこだわりなりを問うことによってこそひとは表現者としての自分を自覚するのである。そのもっとも顕在化しているのが、文字表現、とりわけ文学者というものではなかろうか。もちろん色彩や音のフォルムによってよりよく自己を表現（表出）するひともいるという事実もあるだろうが、一般性に欠けると言わざるをえない。やはりことばの威力はそういったみずからの固有性をえぐりだすにはもっとも根源的なのではないか。ひとが周囲のことば、周知の観念や慣習のなかで感じざるをえない異和感と孤独感こそが、ひとがそれでもなおことばになにかを託し、つきつめて考えていこうとするさいの原動力になっているはずである。

詩とはその意味でひとがまずもっとも早く手を付けることができるジャンルだと言ってもいいかもしれない。それはまだ散文を書く能力をもつまえにまずは自分なりにことばの手応えを得てみようとする純粋な試みであるからだ。それはそれまでにみずからが習得した言語感覚だけを資本にすることができ、そんなに長く書く必要もないためにますます接近しやすい領域である。小学校教育などの「作文」とはそういったきっかけのひとつにすぎない。その多くはたんなる強制だから多くの人間はそこからいとも簡単に離れることができるし、離れてしまっても困らないと思うのである。

こんなあたりまえのことをわざわざ書いているのも、すぐれた詩人とはこうした手順を飛び越えてみずからのやむにやまれぬ言語表現を実現してしまうひとのことだということを（再）確認するためである。こうした詩人が言語の本質的隠喩性をそれと知らずに創造に結びつけていることは紛れもない事実であるからだ。《話し手が隠喩の過程を習得するのは、ことばを口にし始めるのとほとんど同時に始まる拡張的で不可避な実践の結果である》とバーバラ・レオンダーという文芸理論家が書いているとおり、[★1]ひとはだれでもまずは初めての事態にたいしては隠喩的にことばを発動させる詩人であったはずなのである。

1　ツェランと金時鐘、その共通性と差異の認識へむけて

詩がネイティヴなことばで書かれるのが自然のなりゆきであると書いたとたんに、いや必ずしもそうではないことにすぐに気づくことになる。日本語の例をとっても、たとえば標準語（東京弁）で書かれた詩と方言で書かれた詩という違いがある。東京生まれ東京育ち東京在住の表現者が一律に日本語と言ってしまうことになんの抵抗もないとしたら、それこそ傲慢というものだろ

う。日本語の詩と言えども、そこには方言を駆使した詩もあれば、方言を織り込みながら基本は標準語で書かれている詩もある。首都圏在住の詩人の多くはもともと地方出身者のほうが多いことを考えれば、標準語というものを完璧に内面化している詩人はむしろ少数派かもしれない。そういうふうに考え出したら、みずからの詩の内側にどれほどか方言的（地方的）感性を根底に敷いていることばを宿しているか、意識化することもむずかしいことになるだろう。日本語を母語とすると言っても、すでにそれだけの幅があるということを最小限は認識しておかなければならない。

というのはそもそも日本語をネイティヴとしない日本語の詩が存在するからである。パウル・ツェランについて論じた別稿[★2]で述べたように、詩を書くにあたってそのためのことばを母語として選択しうるという場合もあるのである。ツェランは第一次世界大戦後のルーマニア領ブコヴィーナ地方の中心都市チェルノヴィッツで生まれ育ったユダヤ人であり、ルーマニア語という選択肢もあるなかで周囲の言語環境の影響もあってドイツ語を生活のための言語として選び取っている。後年、学習したフランス語、英語、ロシア語等にも習熟したことばの達人であったが、ナチ

★1　バーバラ・レオンダー「隠喩と幼児の認識」長野順子訳、佐々木健一編『創造のレトリック』勁草書房、一九八六年、二三六ページ。

★2　拙稿「ツェラン、詩の命脈の尽きる場所——言語隠喩論のフィールドワーク」、『季刊 未来』二〇二二年春号。本書に収録。

ス・ドイツのユダヤ人殲滅作戦といった未曾有の経験を経たあとでも終生、敵性語としてのドイツ語を母語とした詩を書きつづけた。そこにはもちろんユダヤ人という国家をもたない宗派の一員であったから、生き抜いていくためにはいずれかの国家に所属し、いずれかの言語を選択せざるをえないという属性がつきまとったからであるのは言うまでもない。まさにディアスポラを生きざるをえなかった詩人としてツェランの存在はあったのである。

しかし、そうではなく、本来のあるべき民族性と民族語から歴史的な因果と強制によって引き離され、さまざまな経緯によって心ならずもいま現在もその境遇に踏みとどまらざるをえない、なかば宿命とも言うべき人間も存在する。しかもその逆境を、その民族を植民地化し宗主国として言語的にも抑圧してきた国の内部において、まさしくその国の言語を母語として詩を書きつづけてきた詩人が存在する。その代表的なひとりが金時鐘（キム・シジョン）である。

統一までも国家まかせで
祖国はそっくり
眺める位置に祭ってある。
だから郷愁は
甘美な祖国への愛であり
在日を生きる

一人占めの原初さなのだ。
日本人に向けてしか
朝鮮でない
そんな朝鮮が
朝鮮を生きる！
だから俺に朝鮮はない。
開ききった瞳孔の
映像を宿したかげりだけだ。
つまり俺が
影なのだ。[★3]

★3　詩「日日の深みで（1）」、『猪飼野詩集』、岩波現代文庫、二〇一三年、五四—五五頁。ちなみにこの詩の一節はわたしの最初の長篇評論『方法としての戦後詩』花神社、一九八五年、一六七頁に引用している。この部分の引用はすっかり忘れていたが、いまはどういうわけか手元にない一九七八年のオリジナル版からの引用である。この詩論はわたしの若書きで、大岡信さんが花神社の大久保憲一さんに推薦してくれて一書になったものだが、当時の詩壇でもあまり論じられることもなかったから、この言及のことも関係者にほとんど知られずにいるままのようだ。なお、同書は二〇二二年に未來社から『〔新版〕方法としての戦後詩』として再刊された。

金時鐘は一九二九年、現在の北朝鮮の東海岸、元山（ウォンサン）生れ。比較的裕福な家庭に生まれたが、戦前からの日本帝国主義による祖国の植民地化と日本語使用の強制という環境のなかで朝鮮語を知らないままに日本語を覚えさせられ、日本の文化に自然となじみをもつなかで成長した。その後、母の実家のある済州島に移り、そこで敗戦を迎える。当時の日本人の少年たちの多くがそうだったように、金時鐘も天皇制のもと皇国少年になり、天皇による降伏を伝える一九四五年八月十五日正午の「玉音放送」を当地で聞くことになる。かれは金石範との対談のなかでこのときの自分を思い起こしてこんなふうに語っている。

立ったまま地の底にめりこんで、落ち込んで行くようなショックで。泣くといったものじゃなくて、まったくしゃくりあげて、肩震わせてしゃくりあげたもんですね。ほとんど一週間、一〇日、ご飯もろくろく食べられなかったね。ぼくの植民地人ぶりはこれは徹底したもんで、今に神風が吹くとホンマに信じてましたね。（中略）小学校の低学年時代から剣道やってましてね、かなりの腕のつもりだったんですが。進駐してくるアメリカ軍の二人三人差し違えて死ぬんだと思って、ほんとに。[★4]

ところが、「玉音放送」を聞いた済州島の人びとがいっせいにざわめき出し、その日の夕方からは日本帝国主義からの解放を歓ぶデモや怒濤のような喚声がまわりで起こる。どっぷり皇国少年だった十六歳の金時鐘少年はこの日の午前と午後の世の中の変わりように仰天するのである。

正真おれは
午前中いっぱい闇にいた男だ。
なんの前ぶれもなく
回天は太陽のあわいから降ってきたのだった。
突如あおられた熱風に
いきおいまなこがくらんだ夜の男だ。[★5]

まさに一九四五年八月十五日の午前中はまだ戦時中で、済州島は日本帝国軍政下の闇に覆われていたのであり、正午の「玉音放送」を境にこんどはあまりの出来事に〈まなこがくらんだ夜の男〉となるのである。こうした天地がひっくり返るような価値観や常識の大逆転を経験したひとたちは多かっただろうが、そういう放送も聞かずに自転車に乗って走っているような人間も少なくなかったという話もいろいろ聞くところがおもしろい。

★4　金石範＋金時鐘［対談］『なぜ書きつづけてきたか　なぜ沈黙してきたか』平凡社、二〇〇一年、一七頁。

★5　詩「影にかげる」、『猪飼野詩集』一七七―一七八頁。

なにはともあれ、金時鐘は日本の敗戦を機に《自分の国が蘇ったという折、国について何ら白紙だった、白紙というより「白痴」だった》(『なぜ書きつづけてきたか　なぜ沈黙してきたか』二二頁)自分に気づき、その反動で《それこそぼくは壁をひっかくような思いで、自分の国の文字と読み書きを二か月くらいで》(同前)朝鮮語を学び、朝鮮の歴史の知識を身につけていく。しかし金時鐘と朝鮮、および済州島の激震とその後の苦難はそれで終わらなかった。第二次大戦末期の朝鮮は弱体化した日本軍にたいして金日成将軍率いるパルチザン部隊の強力な抵抗があり、さらには大戦末期に参入してきたソ連軍の後押しも受けて朝鮮を「解放」していった経緯があり、それを受けて戦後の米ソによる朝鮮半島をめぐる信託統治問題のねじれが起こる。要するにソ連と「北」の圧力にたいして朝鮮を反共の防波堤にしようとするアメリカの思惑がからんで、最終的には朝鮮分断もやむなしといった情勢になり、朝鮮半島が南北に二分される形勢のなかで、相対的に独立性を有していた済州島も巻き込まれることになる。米軍に後押しされた元親日派(=対日協力した民族の裏切り者)の朝鮮人特権層や元官僚が呼び戻され、済州島を「アカの島」として凄惨な弾圧のお先棒担ぎにまたしても邁進することになる。朝鮮戦争をあいだに挟んで酸鼻をきわめるゲリラ闘争とゲリラ討伐戦となる。これはゲリラ蜂起の日(一九四八年四月三日)に因んで「四・三事件」と呼ばれる長期の大闘争となるわけで、朝鮮現代史のなかで歴史の闇として葬られようとしてきた暗部である。なにしろ人口二〇万余の島で七万とも八万ともいわれる島民の虐殺がおこなわれたのである。これは第二次世界大戦末期に天皇制日本帝国主義によって本土のための「捨て石」

とされ人口の三分の一とも四分の一ともいわれる死者をだした沖縄と似たところがあるが、なによりも四・三事件の場合は、米軍の指導と後押しがあったとはいえ、同胞による同胞の虐殺という恐るべき悲劇だった。金時鐘はこの蜂起に、下っ端とはいえ指導部の一員として深くかかわったのである。このあたりのことは『なぜ書きつづけてきたか なぜ沈黙してきたか』のなかでかれ自身によって初めて具体的かつ赤裸々に語られているので、ここでは割愛してもいいだろう。

そうした鎮圧攻勢のなかでゲリラ戦は劣勢に転じ、金時鐘は父親のつてでかろうじて島を脱出し、密航船に潜り込んで一九四九年六月初旬、命からがら日本にたどりつくのである。そのとき金時鐘はまだ弱冠二〇歳。そのさいに息子の逃亡を助けた父親は官憲による「代理拘留」という理不尽なかたちで当人の代わりに留置され拷問を受けたりもして、その結果、一九五七年、死にいたっている。こうした肉親を敵の手から守れずに自分だけ生き残ったという負い目もツェランと通ずるものがあるかもしれない。

母の
呪いと愛にからまれた
変転の地で
迎撃ミサイルに追いつめられる
機影のように

父の地
元山を想う。
一人子の
息子に置き去られて
なお
帰れと云わぬ母の
地の塩を
這いつくばって
なめる。★6

この詩は末尾に一九六一年八月十四日の日付をもっている。この日、金時鐘はその前年一九六〇年の奇しくも「四・三事件」と同じ四月三日に亡くなった母の死の知らせをまわりまわって受け取っている。その知らせを受けてその日のうちに書かれた詩だ。ちなみにこの八月十四日も日本帝国主義の敗戦記念日の前日。金時鐘にとって一年はこの八月＝夏が起点となるという深い意味をもっている。

うるしを常食し

生きたまま
ミイラとなった
母の
七十余年にわたる
告別の書だ。

（同前二三五―二三六頁）

金時鐘のなんとも無念の想いが切々と伝わる。この詩については細見和之の金時鐘論[★7]が詳細な解説を書いているので、そちらも参照してほしい。

金時鐘は日本に潜り込んだはいいが、日本語は問題なくできたとはいえ、それこそなんの元手もないまったく一からの出発を強いられることになる。それからの永い年月を金時鐘はこの「四・三事件」をめぐる発言もみずからの出自である「北」への憧れも封印しつつ、そのからみで「北」系の朝鮮総連による猛烈な言説批判を浴びて言論封鎖処置を受けても強靭に生き延びる

★6　詩「究めえない距離の深さで」末尾、『金時鐘コレクションⅡ　幻の詩集、復元にむけて――詩集「日本風土記」「日本風土記Ⅱ」』藤原書店、二〇一八年、二三九―二四〇頁。

★7　細見和之『ディアスポラを生きる詩人 金時鐘』岩波書店、二〇一一年の第二章三節「母への慟哭の歌――復元された『日本風土記Ⅱ』の世界（2）」、とくにその六八―七四頁。

のであるが、その苦しみをのりこえることができたのは、大きく言えば、すぐれて存在意識の徹底的な覚醒につながるふたつの問題を自覚することを介してであったのではないか、というのがわたしの想定である。そのことをこれから論じなければならない。

2 金時鐘の〈在日〉

金時鐘は密航船でいっしょだったひとの紹介で大阪生野区の、いまは地名も消された朝鮮人密集地の町、猪飼野(いかいの)に住みつくことになる。

なくても　ある町。
そのままで
なくなっている町。
電車はなるたけ　遠くを走り
火葬場だけは　すぐそこに
しつらえてある町。
みんなが知っていて

地図になく
地図にないから
日本でなく
日本でないから
消えててもよく
どうでもいいから
気ままなものよ。★8

として後年、記述される町である。とりあえずは食べることと寝場所を確保することが先決で、街なかの小さな前近代的なろうそく工場で働くことになるわけだが、月に二回しかない休みの日に仕事場の二階の窓辺に腰かけていると、物売りの「こうもり傘直(なお)しーぃィィ」と語尾を長く引く独特な呼び声が聞こえてくる。それが《地方なまりの濃い済州島のアクセントがそのまま日本語になったようなひびきの声》(『なぜ書きつづけてきたか なぜ沈黙してきたか』一八四頁)で、どこか聞き覚えのある声なので見下ろすと済州島でも同じようなことをしていたおっさんだということがわかる。日本の敗戦で済州島に帰国したはいいが、職もなく、また日本に戻ってきて同じようなこと

★8 詩「見えない町」、『猪飼野詩集』二一―三頁。

をやっているというわけで、金時鐘は感動する。金石範との対談のなかでこの話をしたあとのつづき――

だから、わけもなく涙が出てな。そうだ、ぼくは日本で育ったもんじゃないけどな、こうもり傘のおっさんも、ぼくも、結局のところ、日本に引き戻された人間や、と思った。ぼくは国で大きくなった者だから運命の紐は、生まれ育った国から延びているけど、ぼくに知識を詰めこませた日本というのは、自分の思念のなかの別の基点でもある。両方の紐にからまってぼくの存在空間は重なり合っている。だから在日というのは日本で生まれ育っただけが在日じゃないねん、かつての日本との関係において日本に引き戻されざるをえなくなったものもその下地を成している「在日」の因子や。／それが、ぼくも在日なんだ、と考えるようになったきっかけですね。今でも雨降ったらどこかであの声が聞こえてくる気がするねん。

（同前一八六―一八七頁）

ここには語りことばとはいえ、金時鐘がかかえつづけてきた〈在日〉意識の根が肉体の深部に及ぶほどの強度をもっていることが語られている。これまであまり在日朝鮮人との接点をもつことがすくなかったわたしにとって、こうした〈在日〉へのこだわりは観念的にしかわからないところがある。日頃、クニというものにほとんど愛着もない日本人として生きている自分とは何か。

それは日本人であることを自明とし、またそうと見なされていることにたいする漠然としたアイデンティティをもつ者の無意識の特権意識だと金時鐘なら言うだろう。身分証明書として「韓国」籍を拒否し、あくまでも「朝鮮」籍であるとする金時鐘の自己意識こそ、与えられた身分ではなくみずから選び取る身分としての「朝鮮人」――韓国でもなく北朝鮮（朝鮮民主主義人民共和国）のいずれかの国籍でもなく、統一さるべきひとつの「朝鮮」人――としてみずからの立ち位置を定めていくことは、それがいかに現実的な希望の乏しいものであったとしても、けっして変更することのできない譲れない選択なのだ。生まれ育った朝鮮といま現在を住みつつ生きていかなければならない日本とが存在空間として重なり合うということは、すぐれて意識的な問題であり、それこそが金時鐘の〈在日〉の意味なのだ。

金時鐘は日本に密航してまもなく日本共産党に入党し、当時の極左冒険主義のなかでその言論家としての資質もあって文宣活動にかかわり、やがて『ヂンダレ』という大阪朝鮮詩人集団の中心人物になっていくのであるが、その役割のせいか、一九五五年の日本共産党六全協でこれまでの暴力革命路線から平和路線に転換した党の大方向転換のあおりを食うことになる。結局、この路線変更に従った北朝鮮系の朝鮮総連からの『ヂンダレ』批判、とりわけそのリーダーとしての金時鐘は極左冒険主義者として《組織的見せしめ》[★9]的にその言論を総否定されることになり、執

★9　「立ち消えになった『日本風土記II』のいきさつについて――あとがきにかえて」、『金時鐘コレクションII』二七八頁。

筆も思うようにできなくなる。つまり朝鮮人でありながらなぜ朝鮮語でなく日本語で書くのか、ということなども、紋切り型に政治主義的に問題とされるようになるわけである。そんなこともあって、金時鐘は沈黙を余儀なくさせられるばかりか、要注意人物として警察からも同胞からもたえず監視されるようにさえなるのである。

金時鐘は出自のうえからも金日成への期待からも、はじめから「北」へ帰ることを夢みていた。そんななかで在日朝鮮統一民主戦線（民戦）が一九五五年に突然、問答無用の路線転換をおこなった結果としてできた朝鮮総連（在日本朝鮮人総聯合会）は北朝鮮との関係が深く、日本政府などからも支持されて早くから「北」への帰国事業を手がけるようになり、一九五九年に最初の帰国船が新潟港から出るようになる。もちろん金時鐘は最初から対象外とされ、新潟の帰国事業センターにも出入りできないようにされる。

こうしたなかで金時鐘は連作長篇詩集『新潟』の執筆をはじめる。これはさきの執筆制限にともなう出版の妨害もあって刊行されるのは一九七〇年になるが、とにかく金時鐘は帰国もかなわぬ新潟にこだわるのである。

> 結局、自分の国に帰る、父の本籍地つまり父祖伝来の地に帰るためには三八度線を越えなくちゃならないのに、自分の国でだめだったし、日本まで来て日本からも三八度線を越えるわけにはいかなかった。／三八度線を越えるだけなら、知ってのとおり北緯三八度線は東に延

長すれば新潟市の北側を通っているので、日本海へ抜ければ三八度線は越えられるわけですね。[★10]

「三八度線」とは言うまでもなく南北朝鮮の分断を設定した軍事境界線であるが、金時鐘にとっては新潟がその象徴となっている。早くから不便な思いをして新潟に何度も通い、長篇連作までものしたその思いは並大抵のものではない。

海溝を這い上がった
亀裂が
鄙びた
新潟の
市に
ぼくを止どめる。
忌わしい緯度は
金剛山の崖っぷちで切れているので

★10 インタビュー「宿命の緯度を越える——長篇詩集『新潟』の出版をめぐって」、『金時鐘コレクション III 海鳴りのなかを——長篇詩集「新潟」ほか未刊詩篇』藤原書店、二〇二二年、三五四頁。

このことは
誰も知らない
ぼくを抜け出た
すべてが去った。
茫洋とひろがる海を
一人の男が
歩いている。★11

これは長篇連作詩集『新潟』全体の最後を飾る部分である。〈ぼくを抜け出た／すべて〉が〈去った〉のは〈茫洋とひろがる海〉であり、そこを〈一人の男〉の魂がさまよっているかのようである。この一節を書きあげたとき、金時鐘の覚悟は決まったのではないか。〈北〉への想いは最終的に断念されたのではないか。すくなくともその時点での〈北〉への帰国はそもそも不可能であったばかりでなく、帰国それ自体が自身の死さえも意味する可能性が高かったからである。この連作詩集が一九七〇年に刊行されるまで手文庫のような小さな耐火金庫に大事に保管されていたにもかかわらず、一九六二年に三度目の新潟行きのあとは《その間までわかった事実だけ書き足したり、直したりする。そのあとは一切手をつけてない》（インタビュー「宿命の緯度を越える」、『金時鐘コレクションIII』三六八頁）と金時鐘は証言している。それほどにもこの詩集は金時鐘にとって重要な金字塔なのだ。わたしもごく最近になって、藤原書店から刊行された『金時鐘コレクションIII』のなかでこの幻の詩集を読むことができて、ようやく金時鐘について書くことの展望が得られたと思ったぐらいである。もうひとつこの詩集から金時鐘の深い断念の痕跡を見てみよう。

　どうせ帰りゃせんさ
へばりつく
後頭部の嘲笑に
振り向いたら
この野郎！
犬と見間違えた
あいつではないか！
　せいぜい確かめてもらいなよ
いとも
鷹揚に
肩をたたいて出ていった。

★11　長篇詩集『新潟』の「III　緯度が見える4」、『金時鐘コレクションIII』二五〇―二五一頁。

南無三！
この土壇場でうずくこころが吐いたものを
ばらすとは！
なんたる卑劣。
ぼくこそ
まぎれもない
北の直系だ！
入江の祖父に聞いてくれ――。
　祖父？
いぶかる頤に
髭が長くのびている！
ぼくです！
宗孫の時鐘です！
叫びが
一つの形をとって落ちてくる瞬間が
この世にはある。
　わしの孫なら山に行ったよ。

銃をとってな――。

冷ややかな
この一瞥。
ああ
肉親にすら
俺の生成の闘いは知らぬ!
その祖国が
銃のとれる
俺のために必要なんだ!

(長篇詩集『新潟』の「III 緯度が見える3」、『金時鐘コレクションIII』二二一―二二四頁)

どうしても切ることができなかったので、長い引用になった。しかもこれにはいくつかの注釈も必要であろう。このシチェエーションは新潟の帰国事業センターでの帰国希望者審査の場面を想定している。もちろん前述したように、金時鐘はこのセンターへの出入りさえも拒否されていただろうから、架空の場面設定であることは疑いない。しかもそこへ、審査の妨害に現われるのはこの直前の「III 緯度が見える2」[★12]で〈犬と見間違えた/あいつ〉すなわち金時鐘につきまとう警察のスパイであり、仲間のたまり場に引き込んでこっぴどく制裁してやった奴なのだ。ここで疑われた〈ぼく〉が叫ぶ〈ぼくこそ／まぎれもない／北の直系だ！〉ということばこそこの詩集のハイライトであろうか。このあと証言を祖父に求めるがその答えは〈ぼく〉のパルチザンとしての活動をばらすものだった。ここで金時鐘の〈北〉への執着は最終的に断たれるのである。というか、その逆で、その断念の深さをこうした場面展開で鮮やかに示したのだと言ったほうがいいだろう。

こうした〈北〉への断念がはっきりしたとき、金時鐘の決意は〈在日〉の意味をあらためて問いなおすことになるのは必然だった。

それで、よんどころなく日本で引き続き暮らさざるを得なくなった。そうすると、私にとって日本というのは、どこも行き場がないからしょうことなくおるところなのかと、否が応でもそういう自分に突き当たるわけですね。／それじゃあ引き続き日本で暮らすことは、私にとってどういう意味があるのかと考えるようになりました。その苦悶が続くなかで「在日の実存を生きる」という命題に行き当たります。それをつづめて「在日を生きる」と言い出した。滞った荷物の一つみたいに私が日本におるわけではなくて、日本に居つづけることの意味と事実を目的意識的なものにしなくてはならない。詩を書くことに執着している自分の意志的な生き方の証明として自分で果たさなくてはならなくなったんですね。（インタビュー「宿命の緯度を越える」、『金時鐘コレクションIII』三五四―三五五頁）

このことは『金時鐘コレクションIII』の「あとがき」に《『新潟』ほど自分の人生を直接的に左右した作品はない。この長篇詩『新潟』を書き上げることで私は日本で生きる、つまり〈在日〉人として生きることを心に決めた作品だからである》(同前四二八頁)とより簡潔に書かれている。

すなわち〈北〉へ帰ることの断念として長篇連作詩集『新潟』は書かれ、その結論としてたんなる在日朝鮮人としてではなく、より意識的に〈在日〉を生きる詩人としての自分を確立することになった。その断念の深さがあればこそ、〈在日〉を生きることの覚悟も深まったのである。金時鐘の独自性はそこにひとつの大きな根拠をもつと言えよう。

★12 この詩の原型は一九五九年に同人誌『カリオン』創刊号に発表された「種族検定」で、最後のほうの加筆と改行を多くするなど小さな修正を加えて『新潟』に収録された。「種族検定」のほうは『日本風土記II』のなかの一篇として『金時鐘コレクションII』に収録された(一七〇—一七八頁)。しかし金時鐘によれば、この詩はもともと『新潟』に組み込む予定だったとされている(インタビュー「宿命の緯度を越える」、『金時鐘コレクションIII』、三七四頁、参照)。

3 〈在日朝鮮語〉としての日本語とは何か

しかし、これだけだったら、金時鐘はひとりの在日朝鮮人の日本語を使うすぐれた詩人のひとりにすぎない。わたしの言語隠喩論的探究の対象となるべき金時鐘はここから先に存在する。なぜなら金時鐘は〈在日〉を生きるという決断を選択したときに、なによりもそのための方法として日本語を詩を書くことによって選びとること、そしてみずからの朝鮮語を、たえずそれと対峙させることを意識化するという方向で生を生き直すことを選んだからである。金石範との対談でかれは率直にこのことを明かしている。

自分で合理化できるものがあるとすれば、幸か不幸か詩をやったということでしょうかね。（中略）ぼくの意識を差配していた言葉が日本語で、自分の国の言葉は日本語を介して、プリズムが色を分けるようにして紡がれてくる。ぼくにとって「解放」とは何かというとやっぱり自分の言葉の問題ですね。だから意地があるとすれば、詩をやることであり、（後略）（『なぜ書きつづけてきたか なぜ沈黙してきたか』一五八頁）

ここでは詩を書くことを選択することが自分にとっての解放であったことが穏やかに語られている。しかし、四十代はじめのころ、つまり懸案の長篇詩集『新潟』を刊行し、みずからの日本語詩人としての決定的な一歩を刻んだ時期の発言にはもっと激しいものがあった。『文藝』一九七一年五月号の、安岡章太郎、金達寿との座談会が『金時鐘コレクションIII』に再録されているが、ここで金時鐘はもっとはっきりと語っている。

僕の日本語というのは、僕に限りませんが、僕の世代の日本語というのは、非常に過重な規制によって身についた日本語です。だから僕の揺籃期のいっさいの夢が身ごもってる言葉なんですね。(中略) そういう日本語によってしか、自分のものの見方とか、意識の仕方しか出来なかった世代です。そういうふうにして身についた日本語、言わば元手がたくさんかかっているわけです、僕の日本語は(笑)。だから僕に、おいそれと日本語をやめろと言われても応ずる気はないですよ。僕にはなかなか元手が取れずにいる分の悪い商売みたいなものでして、自分でその元手を抜かない限り、日本語を放棄する気は毛頭ありません。(中略) 日本が朝鮮を統治したという三十六年の罪業の最大のものは、資源的なものというよりも、人間の人格が損傷したということが、その最たるものだと思います。僕の損傷させられた僕の人格の最たるものとして、僕は自分の国語を押しやった日本語があるわけであって、その日本語を僕が駆使するということは、日本語に対する最大の復讐だと、いわば日本人に対する復讐でもあろうと思うのです。僕の日本に対する復讐というのは、日本語でしか形成し得ないものをもっている。というのは、僕が朝鮮語でやったって、日本人にはまったく馬耳東風だろ

うし、（後略）★13

金時鐘が同胞の朝鮮総連からの批判――なぜ朝鮮語で書かないのか――にたいして断固として拒否したのはこういうわけがあるのだ。日本と朝鮮の不幸な歴史、そのすべてが日本に責任があるのは言うまでもないとしても、その不幸を一身に背負わざるをえなかった金時鐘からすれば、どうにも抗うことのできない宿命として日本語と日本語による詩作という方法しかなかった。そして〈日本語に対する復讐〉〈日本に対する復讐〉。一例を挙げれば、

しめっぽい露地の
油にしゅんだ喧噪と鉄塵の中で
俺の青春が理由もなくほそってゆくとき
自走砲となったうつぼつたる憤懣が
間断なく街のどまん中へぶちこまれるのだ。
日に何十人となく
俺の手にかかった亡霊が街を埋めてゆく。
こいつらが一つの力にならないためにも
俺は決して特定の人間をねらったりはしない。

ただ殺す。★14

といった無差別殺人者のようなこの青春の〈うつぼつたる憤懣〉が日本語で詩のなかに吐き出されるとき、日本語への復讐はある意味で昇華される。これは日本人には書けない詩である。書く根拠がないからだ。

たしかに私は誰からも遠いところに出てしまったのだ
このまま丸ごと体を山蟻にはたいたとしても
畢竟自身への問いでしかないのが言葉だとわかった★15

こうして金時鐘の詩はつねにことばの問題に回帰する。しかしそのことばは日本人による日本語ではなく、つねに〈在日〉の圧力のかかったことばである。〈在日〉を生きるとは、在日朝鮮人として朝鮮語を内蔵させた日本語をみずからのことばとして使用するということである。これを〈在日朝鮮語〉としての日本語というふうに解釈したのは古くからつきあいのあった倉橋健一

★13 座談会「文学と民族」(金時鐘、金達寿、安岡章太郎)、『金時鐘コレクションIII』三〇二―三〇三頁。
★14 詩「労働昇天」、『金時鐘コレクションII』一八九頁。
★15 詩「果たせない旅①崖」、詩集『化石の夏』海風社、一九九八年、六四頁。

である。金時鐘の日本語について倉橋は早い時点で書きとめている。

私に思えてくるのは、ドロドロのままの自己意識、未分化の希求を妊む意識の回路をたどるものは、日本語の列のなかに組みこまれて存在しているのか、それとも朝鮮語であろうかという問いかけである。もし日本語であるならば、言葉によって確立される主観的態度は、まぎれもなく朝鮮系日本人として、不可測性をひそかにひきずるものとして可視され、そこに断絶と隔離の詰めたまあたらしい言語圏が設定されてくるからである。私のかんがえでは、もし、この問題が徹底的に煮つめ、不可視化されてゆくならば、不完全朝鮮語という朝鮮語の面（＝領域）が顕われ、幻想性を閉ざされた母国語である朝鮮語にたいする、幻想性を獲得するための朝鮮人になり切るための日本語が、ここで準備されると云われなくてはならない。[★16]

時代的な背景を感じさせるぶん、わかりにくい文章ではあるが、すでに多くの在日朝鮮人による日本語文学（主として小説）が実現しているなかで、とりわけて金時鐘の詩の言語はその〈在日朝鮮語〉の凝縮度においてやはり特別なものがあっただろうことを倉橋は言おうとしているのではないか。自分の日本語には元手がかかっていると金時鐘が言うとき、それはふつうの日本人がふつうに使っている日本語とは次元がちがうのだということを意味しているはずである。こうしたことを踏まえるとつぎの倉橋健一の解釈はとても重要な示唆を与えてくれる。

おそらく在日朝鮮人が、日本語を慣用化するという限定的な情況のなかでは、ここで使用される日本語は、歴史的存在に照らし合わせてみて、それ自体が喩の能力をもつばあいがあるはずである。（同前四五頁）

ここで倉橋健一は本質的なことばの問題に接近している。〈在日朝鮮語〉が詩のなかに放出されるとき、それは《それ自体が喩の能力をもつ》ということをもっと断言していいのである。だからこの文につづく《つまり日本社会の内側にあって、トータルな抽象的な朝鮮人から、私的な朝鮮人を奪いかえすという過程からは、アレゴリカルな朝鮮語としての日本語を想定することが可能だからである。》という解釈は不要である。〈在日朝鮮語〉がアレゴリカルである必要はもはやない。わたしの言語隠喩論からすれば、〈在日朝鮮語〉による詩はすでにその存在規定からして平板な日本語のなかに異和をもちこむ強度をもつかぎり、ひとつの未知の世界を切り拓く可能性を豊かに蔵している言語のシステムになりえているからである。だからさきの座談会「文学と民族」のなかの金時鐘の〈日本語に対する最大の復讐〉ということばを受けて倉橋が《金時鐘は

★16　倉橋健一「異国と言語――その志向的変容をめぐって」、評論集『未了性としての人間』椎の実書房、一九七五年、四二頁。

ほんとうは、日本語をまるごと喩として投射しようとしているのではあるまいか》[17]と言っているのは、言語の隠喩性についてのいちはやい着目として評価されなければならない。この論文が一九七二年に書かれたということはある意味では驚くべきことだと言うしかない。残念ながら倉橋はこの着目をより普遍的なかたちで展開していくことはなかったようだ。しかし〈在日朝鮮語〉としての日本語とはまさにそれ自体がおおいなる隠喩であるという事態は、金時鐘の詩を読むにあたって逸してはならない格別の視点である。

そういう観点からみると、つぎの金時鐘の発言は注目しておきたい。

『新潟』のなかに「風は／海の／深い／溜息から／漏れる」という一節がありますが、これは字数にしていくつにもならないけど、確実にぼくの歌として居座っていると思う。読んだ人の記憶に忘れられない、それがひとつのリズム感になっている。音感として響いているんだよ。つまり、そういうかたちで、ワンフレーズだけじゃなくて、いくつものフレーズが幾何学的につながるような短い一篇の詩のような作品——長い詩でもいいけど、一篇の詩で、あるフレーズが理屈でなくて居座ってしまう作品。その詩行そのままに居座ってしまうもの。そういうものを僕は歌だというふうに思ってるんだね。詩が究極的には歌になるという場合、そういう作品のことを思ってます。[18]

これは細見和之の『ディアスポラを生きる詩人　金時鐘』の二三〇頁にある注によって教えられたもので、原文にあたってみたものだが、じつに金時鐘の言う〈歌〉こそ、一篇の詩の核心にあるものを指しているのであって、忘れることのできないようなあるフレーズ、いくつかのフレーズが《その詩行そのままに居座ってしまうもの》としてひとつの絶対的存在となる。わたしの言語隠喩論とはそうした一篇の詩の核心にあるものをいかに見出すか、それがどういう世界の構築をともなうものかを探究することなのである。細見和之にとっても同様で、そうしたことばを金時鐘のなかに見出している。

さきの作品「自序」のなかの、「行きつけないところに　地平があるのではない。／おまえの立つている　その地点が地平だ」という印象的な二行などは、まさしくそのような詩＝歌そのものである。私にとってこの一節は金時鐘の表現を思うときまっさきに思いうかぶフレーズのひとつであって、私自身おりに触れてこの一節に励まされてきた者のひとりだ。金時鐘はすでにして第一詩集の冒頭に、この忘れがたい「歌」を刻みつけていたのだ。（同前七頁）

★17　倉橋健一「朝鮮語の中の日本語——金時鐘にふれつつ」、『未了性としての人間』二四頁。
★18　インタビュー「金時鐘さんに聞く——新詩集のありか」、聞き手＝細見和之、『季刊びーぐる　詩の海へ』4号、二〇〇九年。

と細見は書いている。たしかに金時鐘にはこういった思わず引きつけられてしまうフレーズが数多くある。それはもはや〈在日朝鮮語〉の詩とわざわざ言わずとも、〈在日〉を超えてすでに言語の世界的普遍性をもってしまっているとも言える。しかしそこへ至るためのプロセスとして〈在日朝鮮語〉としての日本語という抵抗感が必要だったとしたら、これはやはり普遍のなかの特殊、金時鐘という詩人でしか実現しえない言語の可能性の極限のひとつのかたちなのだと納得する以外にないだろう。金時鐘は一九五七年に刊行した第二詩集『日本風土記』の「あとがき」ですでにこんなふうに書いていた。

行動範囲の非常にせまいぼくにとって、〝日本風土記〟という命題は必ずしも適切なテーマであったとはいいきれないだろう。しかし日本に住んでいるという事実をややもすると偶然な出来ごとに終わらせやすいぼくらにとっては、どうしてもこれだけの大上段な構えが必要だった。いうなればぼくが日本に住むかぎりの、ぼくに課せられたテーマであるという意味においてだ。それだけにぼくとしては、自分の創作活動と、日本の現代詩運動との結びつきをもっとも気にしないではいられない。毛頭「朝鮮人」という特殊性を売物にする気持はもち合わせてないから、望めることならこの詩集も日本の現代詩運動の線上で読んで頂ければと思う。★19

金時鐘の〈在日〉の目的意識性と、それに裏づけられた独自の日本語の隠喩的システムはすでにその時点から日本現代詩との連接をつうじて、ドゥルーズ／ガタリの言う〈マイナーの文学[20]〉の特質と強度をもって、いまの現代詩をはるかに超える世界普遍性としての本質的な隠喩的世界を構築しているのである。

（追記　この金時鐘論は前章のツェラン論を書いたあとをうけて自分なりに深い関連性をもったつもりで書いたものだが、おもしろいことに金時鐘自身は『思想』二〇〇〇年一月号の「思想の言葉　語りかけうる現実に向かって」で読みとれるように、ツェランについてはあまり関心をもっていなかったようである。しかしツェランの〈投壜通信〉という詩のイメージにたいして《詩はその本質からして対話的なものだとする、ツェランの詩に寄せる思い入れの深さ》を感じとっているのはさすがである。）

★19　『金時鐘コレクションII』一五七頁。

★20　ジル・ドゥルーズ／フェリックス・ガタリによれば《マイナーの文学はマイナーの言語による文学ではなく、少数民族が広く使われている言語を用いて創造する文学である》と定義されている。『カフカ——マイナー文学のために』宇波彰・岩田行一訳、法政大学出版局、一九七八年、二七ページ。なお、拙稿「ツェラン、詩の命脈の尽きる場所——言語隠喩論のフィールドワーク」でもツェランについてこの概念を適用している。

八重洋一郎の詩に〈沖縄〉の現在を読む

ことし（二〇二二年）は、一九七二年に沖縄（琉球）が日本（ヤマト）に「復帰」して五〇年にあたる。五月十五日という「復帰」記念日をピークとして、沖縄ではこの「復帰」という問題をあらためて問いなおそうとする動きが活発になっている。「本土」でもこれに呼応した動きがみられる。さまざまな雑誌特集や関連本の刊行、記念イヴェントなどで、在沖米軍基地のいぜんとして解決されていない諸問題、北朝鮮の核ミサイル問題やロシアのウクライナ侵略、そしてとりわけ中国の台湾侵攻狙いといった国際的な危機に便乗した自衛隊の沖縄進出など、軍国主義化を目論む改憲策動をふくめて沖縄を軍事基地として徹底的に利用しようとする日本政府の執念深い欲望にたいして、あの五〇年前の「日本復帰」とはいったい何だったのか、という厳しい内部批判の声が以前にもまして大きくなっている。沖縄の独立問題や、沖縄独自の憲法草案論集など、今後の世界情勢とのからみのなかで沖縄が真に生きる道が問いなおされているのである。

ここでこの問題に深入りすることはしないが、わたしも沖縄のかかえる問題の剔抉とその打開へむけての探究にはある時期から一貫して（主として出版活動をつうじて）いくらかなりともかかわってきた人間である。そうした活動をつうじていろいろな沖縄人との接点が生まれてきたなかで、しばしば痛感させられるのは、沖縄ではことばの意味がとても重いということである。そんななかで何人かの詩人とも直接間接の交流が生まれてきたわけだが、かれらのことばは「本土」（ヤマトあるいは沖縄以外の「日本」）とはまったくちがう質量をもっていることを考えざるをえない。そこには政治的歴史的な差別や文化・習俗のちがい、言語的な差異などが重層化した現実が深く埋め込まれ、観光などの軽やかな表層的現象との切断をたえず示しつづけている。そしてそれと同時に琉球王朝以来の沖縄内部での深い亀裂、構造化された差別（意識）の残留などもわたしなどから見ると、容易に言及することを許されない独自の断面をもっている。

わたしが今回、論じてみたい八重洋一郎という詩人は、そういう意味で二重三重に入り組んだ沖縄の歴史のなかで、詩の言語表出をつうじて鋭い政治批判、歴史批判を提起してきた稀代の詩人である。この詩人の言説はときにレアな政治批判に現象化することもあるが、それを批判するだけでその言語の特異点がどこから湧出してくるものかを見なければ、この詩人を理解したことにはならない。そればかりか、現実の歴史的所与の存在問題を無視して、言語の無害な戯れに終始する、悪しき無意識的無自覚的な政治主義に堕するだけだろう。

1　八重洋一郎とは誰か

わたしは八重洋一郎という石垣島在住の詩人を書いたものでしかよくは知らない。いや、実際にはいちどだけ会って話をしたことはある。日録で検索すると、それは二〇一九年十一月十六日に浦和コミュニティセンターでの八重洋一郎と高橋哲哉が語るシンポジウム「琉球併合一四〇年の歴史と現在〜八重山・沖縄から日本を問う〜」というイヴェントに高橋哲哉からの案内で出かけたときのことである。そのイヴェントは八重の詩集『日毒』[★1]をめぐる議論が中心になっていてあらためてこの詩集の力を確認したという次第である。

そもそも哲学者の高橋がわたしと八重の接点を知ることになったのは、その前年九月に高橋が刊行した徐京植との対談集[★2]のなかで《歴史認識や人権感覚の世界基準からすれば「極右」に属すると言っても過言ではない勢力に、長期にわたり政治権力を恣(ほしいまま)にさせたことのダメージは、容易に回復できないところまで来ている》(二五三頁)と語ったうえで『日毒』についてのコメントもあったことからである。これに驚いたわたしはさっそく本のお礼と感想をメールで書き送ったうえで、これはくわしく後述するが、八重の『日毒』についての現代詩人賞選考の件でわたしが書いた選考評のＰＤＦを添付で送った。さっそく高橋から返信メールがきて、八重とその後、やりとりをした件を伝えてくれたうえで、受賞を「政治的」という理由で拒否された件を知りたい、とも言ってきたのである。このことは複雑な事情があり、そのままになっていたところ、翌年三月に高橋からの電話で、いま石垣島にいて八重とこれから食事をすると伝えてきた。そのさいにどんな話があったのかは知らないが、おそらく前述のシンポジウムの打合せでもあったのだろうし、現代詩人賞選考の裏事情も話されたにちがいない。そういう経緯を経てのシンポジウム参加であったわけである。

そう言えば、その数年前に沖縄での知念ウシ出版記念会の翌日、高橋に誘われて知念ウシも同行するかたちで石垣島へ一泊旅行したことがある。出不精のわたしとしては珍しいことだが、ほかならぬ旧知の高橋の誘いだけに喜んで参加したわけである。そのときはどちらも八重洋一郎との直接的なかかわりはまだなかったので、八重と会うような話にはならなかった。正確に言えば、わたしは八重と面識はなかったが、むかしから詩人としては知っていて、詩集なども送られてきていた。若くして亡くなった旧同人の氷見敦子からわたしのことはよく聞いていたということをあとで知ったといういきさつもある。

そんなわけでシンポジウム終了後の二次会に参加し、八重といろいろ話す機会を得たのである。お互いに初対面とはいえ、そこは物書き同士で余分な情報交換の必要もなく、すぐにも話の核心に入っていけるものであり、くわしい話も聞くことができた。その後、電話やハガキなどで連絡することも多く、わたしとしては現代詩のなかでは数少ない信用できる詩人のひとりになってい

★1　八重洋一郎詩集『日毒』コールサック社、二〇一七年。

★2　徐京植・高橋哲哉『責任について──日本を問う20年の対話』高文研、二〇一八年。

る。わたしが『言語隠喩論』（二〇二一年）の書評や、その後再刊した『［新版］方法としての戦後詩』（二〇二二年）の解説を八重に依頼したのもそうした信頼にもとづいている。

やや個人的な関係に触れすぎたかもしれないが、知らないひとのためにあらためて八重洋一郎を紹介しておくと、一九四二年、石垣島石垣市生まれ。東京都立大学哲学科卒業。長らく東京に住んでいたあと、現在は石垣市に在住。多くの詩誌に精力的に寄稿している詩人である。哲学科出身であるばかりか数学にもくわしく抽象度の高い論考も書く。それで思い出したが、八重には『太陽帆走』[★3]という詩とエッセイをあわせて一冊にしたような詩集がある。わたしの当時の感想では《八重の哲学的・科学的素養を駆使した散文詩と『季刊 びーぐる』連載の石垣島通信よりなる独自の境地。石垣島在住の局所的思考が宇宙的普遍性に転成している》などとなっている。これは翌年に木坂涼とともに選考委員をつとめていた、いまはなくなった丸山豊記念現代詩賞の最終候補の二冊に残った。最初に候補に挙げたのはわたしだったが、前述したように純粋な詩集というより詩とエッセイの合作といったやや変型な作品――当人も詩論集と認識しているようである――だったために最終的に見送ってしまったという事情があり、いま思えば残念だったように思う。すでに山之口貘賞と小野十三郎賞を受賞しており、その実力はすでに認定されていることもいまさらといった気にさせたのだろう。

八重洋一郎は現在の沖縄諸島、八重山諸島、石垣島の置かれている政治的軍事的状況にたいしてきわめて尖鋭な政治的批判精神をもっていて、ヤマト（日本）の人間には不当に知られていない、知らされていない、そして知ろうとしない問題を突きつけている。残念ながらそうした状況に敏感な人間はヤマト（日本）では限られている。石垣島の最南端、平久保岬の突端からは台湾島はすぐ先だ。那覇からでも飛行機で一時間弱。そうしたヤマト（日本）よりはよほど台湾や中国に近い島が石垣島なのだ。だからこそ日本政府は対中国を仮想したミサイル基地などの設置を進めているわけで、いざ「有事」とでもいうことになれば、沖縄本島の米軍基地ともどもまっさきに攻撃対象にされるにちがいない場所である。第二次世界大戦末期の沖縄戦のように、ヤマト（日本）の人身御供とされ切り捨てられる危険がいつも沖縄諸島にはあることにヤマト（日本）の人間はあまりにも無知である。四〇〇年まえにさかのぼる島津藩と徳川幕府による琉球侵入、明治政府の沖縄併合というかたちの「（第一次）琉球処分」、そして戦後の天皇メッセージによる沖縄の米軍占領への提案（お願いというか、戦犯としてのみずからの命との引き換えによる屈辱的差し出し）、その後の日本政府による米軍基地への無条件的基地提供（日本国憲法を超越した「日米地位協定」＝事実上の治外法権）、そしてよく言われるように面積も人口も全国の一％の沖縄県に全体の七四％の米軍基地が集中しているという不合理、さらに辺野古新基地建設という暴力的環境破壊――八重はそういう「辺境」の悲哀と怒りとともに日常を送っているのだ。まずそのことを踏まえなければ、沖縄諸島の詩人の表現を理解することはむずかしい。詩とは「ことばの

★3　八重洋一郎『太陽帆走』洪水企画、二〇一五年。

遊び」にすぎないと鹿児島の或る詩人（島津藩の亡霊？）が現代詩人賞の選考会のなかで暴言を吐いたことがあったが、まったくの論外である。みずからを安全なところにおいているような詩人は沖縄にかんしてすでに発語する資格もないと言うべきであろう。まして現在のようなウクライナ危機をきっかけに世界核戦争も予断を許さない状況となっており、安全なところなどもはやどこにもなくなった事態であれば、なおさらのことである。

2 〈日毒〉という表象

以上のような立言のなかで八重洋一郎の詩を論じることはわが言語隠喩論の文脈のなかでは一見すると、政治的現実に付きすぎてしまうように思われるかもしれない。しかし、言語の隠喩性とはあくまでもことばの創造的発見の力のことである。ことばは手垢にまみれた意味性が強く付着しているように見える場合でも、ことばそのものがその本質的な意味性の磁場をくりひろげることができるときには、その状況的な意味性の場の中心においてさえもことばがその中心を貫くかたちで深い隠喩性をもちうるはずである。平穏無事なようにみえる日常のなかにだってふつうに意味性が蔓延している、まさにその中心にことばの隠喩的創造性の可能性もひそんでいるのだ。それぞれの実存のなかからことばの創造的隠喩性を見出すのが詩人の仕事なのである。いずれにせよ、詩人が書くということは目に見えるか見えにくいかは別にして、その人間が現実世界に生きてみずからの状況を引き受けているかぎり、その言語はなんらかの意味をもたざるをえない。G・ベイトソンが《すべて情報伝達(コミュニケーション)にはコンテキストが必要だということ、コンテキストのないところに意味はないということ、コンテキストが分類されるからこそコンテキストから意味が付与されてくるのだということ》[★4]と書いているのは、詩が力をもつということの意味とは何であるかということを考えさせてくれる。現代詩のモダニズム的傾向がそうした力をもてないこともそうしたコンテクストをもてないからなのである。

ある小さなグループでひそかにささやかれていた
言葉
たった一言で全てを表象する物凄い言葉
ひとはせっぱつまれば　いや　己れの意志を確実に
相手に伝えようと思えば
思いがけなく　いやいや身体のずっとずっと深くから
そのものズバリである言葉を吐き出す

★4　グレゴリー・ベイトソン『精神と自然——生きた世界の認識論』佐藤良明訳、思索社、一九八二年、二三ページ。

「日毒」
己れの位置を正確に測り対象の正体を底まで見破り一語で表す
これぞ　シンボル★5

これは詩集『日毒』のタイトル・ポエムの冒頭部分である。〈たった一言で全てを表象する物凄い言葉〉〈そのものズバリである言葉〉として一行を屹立させて書かれる〈「日毒」〉とは何か。詩集名にも用いられるこの〈日毒〉とは何か。詩集を読む者はまずこのタイトルからして或る種の緊張というか不吉な予感に襲われるだろう。

慶長の薩摩の侵入時にはさすがになかったが　明治の
琉球処分の前後からは確実にひそかにひそかに
ささやかれていた
言葉　私は
高祖父の書簡でそれを発見する　そして
曾祖父の書簡でまたそれを発見する

（同前二一頁）

これは最初の引用にすぐつづく部分である。公的には表出されることはなくても、支配されるひとびとのあいだで〈ひそかにひそかに／ささやかれていた〉ことばとしてそれはあるのだ。そして〈私〉は高祖父と曾祖父のそれぞれの書簡のなかにそのことばを発見する。ひそかにささやかれていたことばが先祖の残した書簡のなかに発見される。ツェランの〈投瓶通信〉のように、それは伝達の可能性を信じてか、あるいは信じられないまでもなにか呪いのように書くことによってのみ実現される己れの心情＝真情の証しのように書きとめられる一語としての〈日毒〉。

この詩はさらに以下のように最後までつづく。

大東亜戦争　太平洋戦争
三百万の日本人を死に追いやり
二千万のアジア人をなぶり殺し　それを
みな忘れるという
意志　意識的記憶喪失
そのおぞましさ　えげつなさ　そのどす黒い
狂気の恐怖　そして私は

★5　八重洋一郎「日毒」、詩集『日毒』二〇頁。

確認する
まさしくこれこそ今の日本の闇黒をまるごと表象する一語
「日毒」

（同前二一―二二頁）

結局、ことばの力に惹かれて全行を引用することになった。つまるところ〈日毒〉とは沖縄を暴力的に支配しようとしてきた島津藩、徳川幕府、明治政府、戦前の天皇制国家権力、そして現在の自民党歴代政府のことであり、アジアに向けては〈大東亜〉を振りかざして帝国主義的侵略をほしいままにしてきた歴代日本政府のことであり、そして沖縄への政治的策謀をくりかえす〈今の日本の闇黒をまるごと表象する一語〉なのである。この詩にこめられた八重の義憤とも言うべきヤマト（日本）への怒りを共有できない者は他者への想像力を欠いた者と判断せざるをえないが、この詩はまだ総論とも言うべきものである。つまり〈日毒〉ということばの由来を歴史的に説明し解釈しているにとどまるところがあるということである。しかし、すでにこの詩にも言及されている高祖父と曾祖父の書簡のなかにこのことばが見出されたという事実を踏まえた「手文庫」という詩こそ八重の義憤が私憤とも重なって〈日毒〉への憎悪と憤怒の根拠が示される凄絶な一篇となっている。以下に全行を引用する。

その時すでに遅かったのだ
祖母の父は毎日毎日ゴーモンを受けていた
にわか造りの穴(ミィー)のある家
この島では見たこともないガッシリ組まれた
格子の中に入れられ
毎朝ひきずり出されては
何かを言えと
迫まられていた　そしてそれは
みせしめに　かり集められた島人たちに無理矢理
公開されていた　荒ムシロの上で
ハカマはただれ血に乾き　着衣はズタズタ
その日のゴーモンが過ぎると　わずかな水と
食が許され　その
弁当を　当時七才の祖母が持って通っていたのだ
祖母の家は石の門から
玄関まで長門(ながじょう)とよばれる細路が続いていたが
その奥はいつも暗く鎖され

世間とのあれこれはすべて七才の童女がつとめた…
こんな話を　祖母は　全く
ものの分らない小さなわたしにぶつぶつぶつぶつつぶやき語った

祖母の父は長い拘禁の末　釈放されたが
その後一生一語として発声することなく
静かな静かな白い狂人として世を了えたという

幾年もの後　廃屋となったその家を
取り壊した際
祖母の父の居室であった地中深くから　ボロボロの
手文庫が見つかり　その中には
紙魚に食われ湿気に汚れ　今にも崩れ落ちそうな
茶褐色の色紙が一枚「日毒」と血書されていたという

（同前二四―二六頁）

詩が力をもつというのはこの最後の一行のあとがはるかな余韻をもつことに因っていると言っ

ていい。八重の家は代々、村の有力者であったらしい。だからこそこの拷問者は村人たちへのみせしめとして曾祖父を公開で拷問するという野蛮な行為をおこなったのである。曾祖父に白状するような何かがあったかどうかはこのさい問題ではない。ただ支配する暴力性としての〈ゴーモン〉だけがあり、その暴力の受け皿として曾祖父の身体があったにすぎない。もし何かがあったとしても、白状すればそれは村人たちへの裏切りとなり、みずからの破綻を意味することになったであろう以上、どのみち同じことである。公開の拷問とは支配される者たちへさらなる分断をもちこむことであり、分断をひとりの者（有力者）の責任であるかのように見せかけることで分断の手口をあらかじめ隠蔽する。絶対権力というものは、公開であれ秘密裡であれ、これとにらんだ人間はどのようなかたちで処分（殺人）をしてもよいことになっている。築地署で惨殺された小林多喜二にせよ、福岡刑務所で生体実験をされて殺されたといわれる尹東柱（ユン・ドンジュ）などはもちろんのこと、特高警察によって「転向」を強いられるかさもなければ拷問〜虐殺にいたった戦前の数多くの左翼系もしくは民主的な思想家、文学者、運動家などを考えてみるまでもない。いつの時代にも無学でおそらく知的コンプレックスの塊のような拷問者は理屈などが通ずる相手ではない。まして当時の権力者は沖縄人などまともな人間とも思っていなかったはずだ。最近でもヤマト（日本本土）から沖縄に送りこまれた警察官が沖縄人をさして「土人」と呼んだという愚かしい一件があったことも記憶に新しい。そんなわけだから八重の曾祖父がどれだけの苦悩と痛みをもって失語状態に陥ったかは想像するにあまりある。

しかし、じつは曾祖父は〈白い狂人〉どころではなく、最後のことばを失なってはいなかったのだ。すくなくとも〈「日毒」と血書〉すること、それを居室の〈地中深く〉に隠匿することができるほどにはことばの意味するところを知りつくしていた。ことばはここで失語（沈黙）を超えて時代の暗部をくぐり抜けたのである。八重の詩がこのことを記す一行で終わっているということは、まさにそれが八重によることばの力の発見とそのことばが表象する意味が歴史的現実のいたるところに蔓延しているという事実への覚醒を促したのではないか。

これまでの八重洋一郎の詩業は、私見によれば、沖縄のさまざまなモチーフにかかわるものであっても、どちらかと言えば抒情的、叙景的な作風だったと思う。一例を挙げてみよう。

あの世よりも遙かな遠い二万年！

石垣島の白保・竿根田原（さおねたばる）に埋まっていた頭蓋骨は
二万年前の人骨だという
歴史（とき）のはて　列島の果て（ち）からの何という大発見
この小さな島の頼りない海岸線の泥土まじりの洞穴のなかで
いったい　どんな暮らしがあったのだろう
何をよすがに日々をすごしていたのだろう

寂しかったにちがいない
島は　ただ　空と海
青いひかり　この白骨の人たちは
なぜここにいるかもわからず
あまりにも孤絶である故　あまりにも無力である故
さびしさは骨身に徹し　ただただ
海や山への恐怖と思慕にふるえていたにちがいない

今　その骨と頭蓋骨が発見され
「わたしたちは二万年前　この地に
さびしく生きていたのだよ」とメッセージが寄せられる

何という驚くべき通信！
何という驚くべき事実！
歴史（とき）のはて　列島（ち）の果てからの　はるかな
白い呼び声が

切ないいのちの連続性が　深々と身にしみわたる[★6]

この詩「通信」は二〇一四年に発行された詩集『木漏陽日蝕』の巻頭に置かれた作品だが、見られるとおり、石垣島の白保海岸で発見された二万年まえの人骨をめぐってその骨との想像的対話を仮構した抒情的な作品である。わたしもこの海岸に行ってみたことがあるが、青い珊瑚礁が透きとおるように見える美しい場所であり、国立公園にもなっている。八重は故郷の石垣島に戻ったあと、こうした美しい環境のなかにいて、このような自然と人間の賛歌を書くような詩人であったのだ。しかし、その後、この美しい島を領略するように自衛隊のミサイル基地が住民の反対にもかかわらず地元の市長らの手引きで配備されるようになる。そのあたりから八重は石垣島の、ひいては沖縄の置かれた地政学的問題に神経をとがらすようになっていく。

『日毒』はその意味で八重の詩風の根底的な転換を要請したものではないかとわたしは思っている。〈日毒〉ということばはこの詩集で何度か使われるライトモチーフとも呼ぶべきキーワードであるが、「あとがき」にもあるように、《本来なら「日毒」という言葉は、はるか以前に歴史の彼方に消え去っているべきであった。しかし今なおこの言葉は強いリアリティーを持っており、そのこと自体が現在を鋭く突き刺す。いかにしてこの言葉を昇天させるか、我々の重い課題だろう。そしてそれは必ず果たされなければならない》（『日毒』一〇八頁）という視点をこそわれわれは共有しなければならない。そして詩集『日毒』は詩という方法によって初めて達成された政治性への独自のアプローチであり、とりわけ〈日毒〉ということばは――まさに隠された喩としてひそかに成立するという歴史的な経緯をはらんでいたもので、八重のオリジナルではないが、そのことばを発見することをつうじて、八重の実存がついに切り拓かれ、沖縄をめぐる八重の歴史的政治的な認識が詩のかたちで昇華されていくという意味で、この詩集は八重の詩人としての到達点であるとともに、現代詩においてもひとつの事件であったと言わなければならない。

わが言語隠喩論の筆法からすれば、書くこと以前に〈日毒〉という圧倒的な隠喩が現前し、それは発見的に作用するというよりも、この隠喩の正体をさらに解明するという方向で詩が書かれていくのであるから、いきおい散文的ないし換喩的な展開にならざるをえない。「手文庫」という詩はその意味で行分けされてはいるが、内容的には散文的であるのはそのためだ。八重洋一郎の詩が『日毒』以後、そうしたスタイルに変わっていくのは、この〈日毒〉という沖縄人として不可避の隠喩的認識がいっそう強まってきたことの証しにほかならない。こういう認識が詩のことばを導き出していくこともあるのだ。

八重は二〇一二年に刊行された評論『詩学・解析ノート――わがユリイカ』のなかで詩集『日毒』を先取りするようなかたちでみずからの書くことの意義を明快に述べている。

★6　八重洋一郎「通信」、詩集『木漏陽日蝕』土曜美術社出版販売、二〇一四年、六―八頁。

詩は表現されたという事実以外にはいかなる客観性もいかなる確実性も持つことはできない。しかしこの無根拠性、真偽不決定性、不確実性こそが詩の自由を保証し、その自由にこそ詩の純粋性がひそんでいるのだ。自由とはいかなる決定からも逃れていることであり、純粋とは書くことの徹底的な責任感覚のことだ。つまり詩は言葉の自動的自己完結性によって書かれることは一切なく、すべては詩人の意志と言語感覚のみに負っているのだ。

言葉はでたらめな材料である。そのでたらめさ、不完全さ、思いがけなさ等々を極度に意識化、利用して何かを表現しようとする。表現しようとするから表現があり、そうでなければ表現はない。★7

八重は数学者でもあるからこの評論ではゲーデル的なことば——たとえば真偽不決定性というような——が出てくるが、それを詩を書くことの自由や詩の純粋性と必要以上に結びつけているように思われる。むしろここでは〈日毒〉ということばとの出会いの《思いがけなさ》が予感され、そうしたことばを《極度に意識化、利用して何かを表現しようとする》方法が論じられており、そのひとつの結実が詩集『日毒』であったと考えたほうがいい。

3　詩集『日毒』をめぐる現代詩人賞の怪

そういうわたしの『日毒』理解があるところで、たまたま八重から鹿野政直『八重洋一郎を辿る』[★8]という本が送られてきた。これはもともとは出版を意図していない原稿だったらしく著者から八重のところへ直接送られてきたものであるが、おそらく八重の手配で出版されたものだろう。わたしは一読して、これには問題があると思い、すぐさま『週刊読書人』に書評[★9]を書いた。それは鹿野の善意にもかかわらず、この本が八重の仕事を十分に把握できていないばかりか、最後のところで詩集『日毒』をめぐって事実とはいくらか異なることが書かれていたからである。

つよい指弾性・告発性のゆえに、『日毒』は、日本の詩壇から、良くも悪しくも問題作として受けとめられ、あるいは拒絶されたように見える。二〇一八年度の現代詩人賞を決める選考委員会は、この詩集の「ことばの政治性」をめぐって激論を闘わせている。ある選考委員は「政治的メッセージ性」を高く評価した一方で、別の選考委員は、「〈日本を毒とする〉余

★7　八重洋一郎『詩学・解析ノート――わがユリイカ』澪標、二〇一二年、八一―八二頁。
★8　鹿野政直『八重洋一郎を辿る――いのちから衝く歴史と文明』洪水企画、二〇二〇年。
★9　「石垣島と詩の闘い――鹿野政直『八重洋一郎を辿る――いのちから衝く歴史と文明』」、『週刊読書人』二〇二〇年二月十四日号。

りにも激しく直截の羅列は、詩以前のもの」とつよく反対し、結局、受賞にいたらなかった(「現代詩人賞選考経過」、『現代詩2018』)。／わたしは、この詩集で投げつけられる一語一語を、身に痛いと感じつつ、新しい視野へ導かれた一人だが、「選考経過」には、詩集に装塡されている八重の覚悟と問題提起のそれぞれが、十分に汲みとられていないと思った。

(『八重洋一郎を辿る』一九一頁)

この鹿野の選考委員会批判にたいして、わたしは前記の書評で以下のように書いた。

ひとこと言っておけば、詩集『日毒』を現代詩人賞の候補作品として推薦したのもわたしであり、ほかの六人の選考委員はだれもこの詩集の存在さえ知らなかった。したがって鹿野が書いているように、選考委員会で《この詩集の「ことばの政治性」をめぐって激論を闘わせ》たというのはすこし事情がちがう。選考委員会をつつむ外部から横槍が入ったことと、或る種の純粋言語主義の亡霊によってわずかな差で『日毒』が受賞を逸したことが、わたしにはいまでも残念でならない。わたしは選評で『日毒』を高く評価していることを明言しつつ、《全体にことばの政治性がナマの怒りに流れすぎてしまうという難点》も指摘したのは事実である。このあたりが詩人ではない鹿野にとっては《冷評》と受けとめたフシがあるのだが、八重の詩の可能性はこうした《表現の生硬さ》を昇華したところにもっと拓けてくるとわたしは思っている。それがもうひとつの詩の闘いなのである。

事情のわからないひとにはわかりにくいかもしれないのだが、ここには現代詩の世界で蠢く奇怪な動きがあることを指摘しておかなければならない。そもそも賞を受けるか受けないかは本質的な問題ではない。そのことよりも手続き上の問題は別の次元に属することを言っておかなければならないだけである。以下に詳述する。

事の次第を客観的にみてもらうために、わたしもふくめて七人の選考委員の「選評」のこの詩集にかかわる部分を抽出する。まず選考委員長をつとめたわたしの「ことばの政治性」からすこし長めに引く――

これまで詩集賞の選考委員は何度か経験しているが、いつも完全に納得できるかたちで終わったことがない。今回はそれを一段と感じることになった。それというのも、今回ほど評価が分かれたことはなかったからでもあり、ある意味では決定的な詩集がなかったことが最大の原因かもしれないのだが、それよりも選考過程でわたしがやや不用意に「いまの詩はことば遊びが多すぎる」という発言をしたことがきっかけとなって、高岡修の「詩はすべてことば遊びにすぎない」という、ある意味では型通りだが過剰にポレミカルな論点を引き出してしまったことによって、意味性の強い詩が憂き目をみる方向に選考会が動いてしまった観があるからである。わたしとしては「ことば遊び」という論難調の言い方よりは「意味へのおびえ」または「思想性の回避」という傾向が現在の多くの詩に見られるモダニズム的病弊だということを言えばすんだのである。そのあたりの説明不足もあって、議論を空転させてしまったかもしれないのが、やや心残りなのである。詩はたんなることば遊びではなく、そこに詩でしか表出できないことばの深い情調、リズム、意味の広がりと意外性などをたたみ込むことのできる高いことばの技術が示されなければならない。詩集賞はこうした詩集に授けられるべきなのである。

ことしの候補詩集のなかでは、政治的メッセージ性がきわめて強い八重洋一郎詩集『日毒』をわたしは高く評価した。日本本土（ヤマト）から歴史的・政治的・軍事的に極端な差別を受けている琉球諸島のなかで、八重の住んでいる石垣島もいまにつづく長い差別の歴史に苦しめられてきた。その積年の恨みと怒りが日本という毒＝「日毒」ということばに結晶され、代々受け継がれてきた。その家系にまつわる虐待の物語を書き込んだ「手文庫」という作品は選考委員の評価が高かったが、全体にことばの政治性がナマの怒りに流れすぎてしまうという難点があり、そこに批判が集中したこともあって、残念ながら受賞までにはいたらなかった。詩人としてのさらなる洗練と熟成を望みたい。[★10]

以下は各選考委員の「選評」から――

特筆すべきは八重洋一郎さんの「日毒」という詩集だったかもしれない。強烈なインパクトがある詩集だった。沖縄問題を提起に、歴史に埋もれた言葉「日毒」をめぐって、抑圧に対する抵抗の言葉が連なっていた。この詩集に対しては意見が分かれ白熱した討論が交わされたことを記しておこうと思う。（金井雄二「清々しい選考会」）

異彩を放っていたのは石垣島から発せられた八重洋一郎の『日毒』だった。琉球國以来の沖縄諸島の屈辱と怒りが身を斬る痛みとして沸騰していた。毎年、「沖縄」のデモや米兵の事件が報道され、私のように内地にあるものは知識として知ったつもりで、一過性の傷のようにふたをしてしまい、長く骨肉をえぐる痛みになりえていなかったと実感させられる。わが国ではいつからか、詩として痛苦を声高にうったえるものは審美的に下位に置かれてきたように思う。（國峰照子「『詩らしさ』に思うこと」）

八重洋一郎さんの『日毒』（コールサック社）は琉球諸島、石垣島在住の作者の切実なメッセージが込められた重い詩集。「手文庫」は力作だが、全体にことばがストレートに過ぎるよう

★10　『現代詩 2018』日本現代詩人会、二〇一八年四月。以下の「選評」はいずれも同誌から。

に感じた。社会に対する有効を求めて書かれているという読み方もでき、詩（文学）とは別の場所に回収されてしまうのではないかという危惧を抱いた。（須永紀子「世界文学の地平」）

私は、一回目の投票で高い票数を得た八重洋一郎詩集『日毒』には強く反対した。〈日本を毒とする〉余りにも激しく直截な表現の羅列は、詩以前のものと思われたからだ。告発の詩人の仕事として私たちは石原吉郎や峠三吉などの詩群を有しているが、詩への昇華度において比ぶべくもなかった。（高岡修「詩のいちじるしい散文化」）

八重洋一郎氏の『日毒』は、曾祖父の手文庫に遺されていた紙に血書された「日毒」という言葉の衝撃をモチーフとして詩が起ち上がります。しかし、メッセージを送ることに急なあまり、詩集としての完成度に残念な印象がありました。「手文庫」のような優れた詩をもっと読みたいと思いました。（塚本敏雄「選考を終えて」）

なお、ひとりだけ黒岩隆には言及がなかった。この詩人はのちに日本現代詩人会の会長を一期つとめたひとであるが、この意図的な無視は後述する問題と関連しているかもしれない。

こういう選評を読むと、それぞれの詩人の傾向と判断能力、審美眼などが端的に現われているように思う。いつも思うことだが、現代詩の各賞の選考委員にははたしてこのひとでいいのか、という疑問がある。日本現代詩人会のH氏賞、現代詩人賞の選考委員をつとめたことは三回あり、機会均等というか選考委員はまんべんなく選ばれていて、それぞれ熱心に選考にあたっていることはこの目で確認している。大家ばかりで決める情実がらみの選考よりはよほどマシだと思うが、批評の力不足は否めない。それでも「手文庫」という詩の評価は一貫して高いものがあり、それだけでも受賞に値するはずであった。鹿児島から来た高岡修のように最初から否定する意図をもって選考に臨むような人間は別だが、最終的に沖縄人の置かれた社会的政治的立場とそこから発せられる呪詛のようなことばにたいする現代詩人の距離感、拒否反応が大なり小なり反映している選評が多かった。なかでは國峰照子だけが《詩として痛苦を声高にうったえるものは審美的に下位に置かれてきたように思う》と疑義を呈しているのがいくらかの救いである。

詩集の評価というものはたしかにさまざまな視点や読みかたがあるのはしかたがない。しかし今回の選考にたいしてはそうした公正なありかたとはまったく異なる次元の問題があった。これはわたしが当事者のひとりとしてじかに見聞したことなので間違いはない。そのことを最後に述べておかずにはいられない。

新人に与えられるH氏賞とちがって現代詩人賞は中堅以上の詩人に与えられる賞である。いずれの賞も一次、二次の選考があって決定される。一回目は選考委員の顔合せをかねて選考委員長の互選と、日本現代詩人会の会員投票による上位八点の候補詩集に選考委員の推薦詩集の追加がおこなわれる。二回目の選考会はこうした詩集を各選考委員があらためて読み込んできたうえで最終決定がなされる。わたしは一回目の選考会で八重洋一郎詩集『日毒』を推薦し、承認された。このときほかの六人の選考委員でこの詩集を読んでいる者はひとりもいなかったし存在も知らなかった。だから鹿野がさきの本のなかで書いたように《日本の詩壇から、良くも悪しくも問題作として受けとめられ》たということはなく、あくまでもわたしの推薦でこの詩集『日毒』が俎上に載せられただけであって、詩壇云々とはいささか大げさな話になる。

問題は二回目の選考会（二〇一八年三月三日）のときに起こった。通常はH氏賞、現代詩人賞の選考委員全員および日本現代詩人会の役員、担当理事などあわせて二〇人以上が一堂に会してこれから始まる選考会に先立って会長挨拶などが形式的になされるだけである。しかし問題が生じたのはそのときである。そのときの会長であった新藤涼子が会長挨拶のなかで突然、わたしの推薦した『日毒』だけは絶対に受賞の対象にすべきでない、と発言したのである。さすがにわたしがどういう理由かと問い糺したところ、それは「或る筋」からの意向だという。それをさらに追及したところそれは現代詩人賞の賞金の財源を管理している者の意向だという。選考にかんして介入する権限などない者の意向がどういうわけか尊重されようとしたのだ。選考会を始めるまえからあらかじめ選考を左右しかねない発言が会長ともあろう者から出てくるというようなことは前代未聞であり、選考委員すべてを愚弄するものであることは明らかだった。本来、自由であるべき詩人たちの会がこのようなあるまじき横暴と独断を許すとしたら、おそるべき頽廃と言わなければならない。また新藤会長は自分が属する歴程の会で、そのメンバーのなかから日本現代詩人会の会長をつねに輩出しなければならないという発言を繰り返していたという話も会員から聞いている。まさかとは思うが、先の会長挨拶から判断すれば、内輪でそういう発言をしているのだろうことは容易に察しがつく。この権力欲とはいったい何なのか。そういう理由からだろうが、この選考委員会には高岡修と黒岩隆のふたりの歴程の会のメンバーが入っていて、さきの選評を見てもらえば明らかなように、高岡は一貫して『日毒』への否定的言辞を弄しつづけ、黒岩は無口ながらも選評では意図的な無視をして、ともに新藤会長の意向に応えている。

「現代詩人賞の賞金の財源を管理している者」とは桃谷容子資金というかなり大きな財源を自由裁量できる立場に立つ詩人のことである。あるときからこの資金を自由に使える立場に立ったことで、にわかにその資金力をバックに丸山薫賞、山之口貘賞、伊東静雄賞、三好達治賞(これは先年、終了した)、ほか各種の財政基盤の弱い詩人賞の選考委員に収まり、自分の気に入らない詩人にはダメ出しをするというような権力志向むき出しの姿勢を打ち出してくるようになったらしい。こうした一連の問題は、細部をいちいち確認したわけではないが、いくつもの選考委員を委嘱されるには、この「影の権力者」の詩人としての評価から考えてもあまりにも不自然であって、今回の『日毒』選考会事件はその一端をはしなくも露呈したにすぎない。この「影の権力者」は別の機会に八重洋一郎のような「日本共産党に喜ばれるような詩人」は絶対にダメだと否定したことがあるという。八重洋一郎はあいにく日本共産党とは無縁の存在であるし、むしろ日本共産党の沖縄政策からすれば、厄介な存在でさえある。そもそも左翼＝日本共産党、といった時代錯誤の認識が異常であるが、そんなことよりいまの沖縄の置かれた地政学的状況からすれば、左翼的に見える反政府的な意見をもったり行動をとるのは、とりわけ詩人という鋭敏な感性の持ち主であるべき存在からすればあまりにも当然のことである。詩人が反体制的であることにこの「影の権力者」は大いに不満なようであり、安倍晋三元首相のような極右政治家を支持するような発言も理事会などで繰り返していたらしい。だから沖縄の問題や沖縄の詩人とのかかわりを極度に嫌うわけである。社会や歴史にたいして疑問をもつべき詩人としてどうして現状の体制に批判的になろうとしないのか。現代詩人賞『日毒』選考会事件とはその意味でも象徴的な事件だった。いま八重洋一郎の詩を読むことは沖縄の実情を読むことであり、〈日本〉の実態を知ることである。

詩の世界に関心のないひとに無用な誤解を招きたくないので、これだけにとどめざるをえない。しかし、今回、八重洋一郎を論じるにあたってはこの四年以上もまえの事件について論究しないわけにはいかなかった。そして念のために付け加えれば、賞にまつわる資金力を背景にした権力構造には嫌気をさしているひとも多いと聞くが、そうした歪みはいまだ完全に払拭されているとは言えない。新しい役員体制になった日本現代詩人会の自浄力に期待するところ大であることは言うまでもない。詩人を甘くみてはならない。

こうした文章を書くことはやや内情暴露的に見られるかもしれないが、やはり言うべきことは言っておかなければならない。この一件でわたしが日本現代詩人会からパージしていただくことになるかどうかは日本現代詩人会の見識と威信の問題であるだろう。

（追記　この八重洋一郎論とりわけその3節で明らかにした現代詩人賞の選考会妨害事件については、これを再説した『イリプス IIrd』1号の「言語隠喩論のたたかい——時評的に1」もふくめて想像をはるかに超える反響があり、「影の権力者」側からの猛烈な反撥もあった。しかし、それらは結局のところ、事実を隠蔽しようとする姑息で悪質な言い逃れにすぎず、みずから退散してしまうという体たらくであった。そうした「反論」ならぬ詭弁にたいしてはそのいきさつをふくめた総括的な批判文を『イリプス IIIrd』3号の「言語隠喩論のたたかい——時評的に3」に掲載した。ここに付録として再録してもいいかとも考えたが、言語隠喩論のフィールドワークにとってはあまり本質的な問題ではないので、興味のあるかたはそちらを参照してもらえばいいことにした。しかしながら、どうやらコトはわたしの手を離れて、より大きな問題に発展しそうな気配もあり、予断を許さないということもこの時点で証言しておこう。）

◆初出一覧

III　亡命と抵抗

ツェラン、詩の命脈の尽きる場所……………『季刊　未来』二〇二二年春号（二〇二二年四月）

金時鐘、〈在日〉を超えて世界普遍性へ…………第二次『走都』8号（二〇二二年四月）

八重洋一郎の詩に〈沖縄〉の現在を読む…………『季刊　未来』二〇二二年夏号（二〇二二年七月）

●著者略歴

野沢啓（のざわ・けい）

1949年、東京都目黒区生まれ。

東京大学大学院フランス語フランス文学科博士課程中退。フランス文学専攻（マラルメ研究）。

詩人、批評家。日本現代詩人会所属。

詩集――

『大いなる帰還』1979年、紫陽社
『影の威嚇』1983年、れんが書房新社
『決意の人』1993年、思潮社
『発熱装置』2019年、思潮社

評論――

『詩の時間、詩という自由』1985年、れんが書房新社
『隠喩的思考』1993年、思潮社
『移動論』1998年、思潮社
『単独者鮎川信夫』2019年、思潮社（第20回日本詩人クラブ詩界賞）
『言語隠喩論』2021年、未來社
『〔新版〕方法としての戦後詩』2022年、未來社

ことばという戦慄
——言語隠喩論のフィールドワーク

2023年7月31日　初版第一刷発行

本体2800円＋税————定価

野沢 啓———著者

西谷能英————発行者

株式会社　未來社————発行所

東京都世田谷区船橋1－18－9
振替 00170-3-87385
電話(03)6432-6281
http://www.miraisha.co.jp/
Email:info@miraisha.co.jp

萩原印刷————印刷・製本

ISBN 978-4-624-60124-9 C0092

言語隠喩論
野沢啓著

さまざまな哲学的・思想的知見を渉猟しつつ、著者が詩を書くという実践をとおして言語の創造的本質である隠喩性を明らかにする。誰も試みたことのない詩人による実践的言語論。

二八〇〇円

［新版］方法としての戦後詩
野沢啓著

戦後詩の運動がそろそろ総括の時期に入った時点で書かれた本格的な詩史論の復刊。戦後詩以後のあらたな詩の可能性をも思想的表現論的に探究した著者の初長篇評論。

二四〇〇円

［新版］立原道造
郷原宏著

〔抒情の逆説〕永遠の青年詩人・立原道造は近代詩史のなかでも燦然と輝く抒情詩の名手であるが、著者によるスリリングな解読は道造理解へのさらなる道を開く。立原論の決定版。

二四〇〇円

岸辺のない海　石原吉郎ノート
郷原宏著

極寒の地シベリアに八年にわたって抑留され、苛酷な労働と非人間的な強制収容所生活で人間のぎりぎりの本質を見とどけて帰還した石原吉郎をめぐる力作評伝。石原論の決定版。

三八〇〇円

詩人の妻
郷原宏著

〔高村智恵子ノート〕高村光太郎の妻にして『智恵子抄』のヒロインである智恵子をひとりの女として捉える視点から、二人の関係史を中心にその生涯を追跡する迫真の長篇評伝。

【サントリー学芸賞受賞】

二八〇〇円

蒲原有明詩抄
蒲原有明著／郷原宏＝解説

日本近代詩の立役者のひとりとして、その詩風は官能美と独自の律動感にあふれたもので、近年あらためて再評価が著しい。自選アンソロジーの作品を詩集発表時の初稿に復元する。

二五〇〇円

〔消費税別〕